ALFONSO USSÍA

Pachucha
tirando a mal

Título: Pachucha tirando a mal
© Alfonso Ussía, 2001
© Ediciones B, S.A.
© De esta edición: abril 2002, Suma de Letras, S.L.
Barquillo, 21. 28004 Madrid (España) www.puntodelectura.com

ISBN: 84-663-0644-7
Depósito legal: M-7.447-2002
Impreso en España – Printed in Spain

© Barca, 2001, sobre la ilustración de cubierta
Diseño de colección: Ignacio Ballesteros

Impreso por Mateu Cromo, S.A.

ALFONSO USSÍA

Pachucha
tirando a mal

A Íñigo Barcaiztegui Quiroga,
que tendrá en su día la misma
maestría en el dibujo que su padre

Resumen de lo acontecido
y presentación de los personajes

CRISTIÁN ILDEFONSO LAUS DEO MARÍA DE LA RE-
GLA XIMÉNEZ DE ANDRADA Y BELVÍS DE LOS GA-
ZULES, VALERIA DEL GUADALÉN Y HENDINGS,
MARQUÉS DE SOTOANCHO.

Lugar de nacimiento: Sevilla.
Fecha: 12 de febrero de 1938.
Estado civil: Casado.
Hijos: Todavía ninguno. Al final, ya se verá.

EVOLUCIÓN PERSONAL:

Pasa 62 años de su vida dominado por su madre, la marquesa viuda de Sotoancho, mujer de armas
tomar. Multimillonario y propietario de La Jaralera, pichafloja y tontorrón, al menos en apariencia.
En el fondo, Sotoancho es un infeliz, un zangolotino
con deseos invencibles de convertirse en un hom-

bre. Un día, inesperadamente, se topa con Marisol, la hija de Lucas, el guarda del cuartel de la Sierra de La Jaralera. Y Sotoancho, viéndola nadar desnuda en aguas del Guadalmecín, siente la fogarada del macho y se enamora de ella. De la hija de un guarda, de una menestral, de una doñanadie. A su edad, necesita urgentemente casarse y tener un hijo, entre otras razones, para heredar El Acebuchal, el campo colindante, la casa y finca de su tío Juan José Henestrillas, que a sus 94 años sigue firme como un álamo y galopándose al hembrerío con frenesí y sin cautela. Su madre le asigna como esposa a Olimpia de Bolka-Romanov y Repullés, una sobrina biznieta del último Zar de Todas las Rusias cuyo padre, un sobrino del Zar, consiguió huir del terror bolchevique y terminó por recalar en Barcelona, donde conoció a Mercé Repullés, copropietaria de la peletería Repullés, Pirolas y Pirretas. De aquella unión nació el fruto de Olimpia, sencillamente horroroso. Cuando Sotoancho está a punto de casarse con Olimpia, renunciando a su amor por Marisol —vetada por la marquesa viuda—, ésta es secuestrada por una banda de delincuentes comunes, entre los que se encuentra el Cigala, pinche de La Jaralera. Superado el trance —que se supera porque los secuestradores obligan a la secuestrada a abandonar el «zulo», por pesada—, Sotoancho decide plantarse ante su madre y casarse con Marisol. La marquesa viuda no lo acepta y viaja a Roma para pedirle al Papa que impida ese matrimonio desigual. Para aliviar su tensión, Sotoancho huye con Tomás, su leal mayordomo, a Estoril, y allí conoce a una mujer maravillosa, Margarita Restrepo Olivares, Marsa, una colombiana de prodigio que hace a Sotoancho hombre por primera vez. Éste rompe con Marisol, y anuncia que se va a casar con la guapa colombiana divorciada de dos maridos. Lo hará por lo civil en el Consulado de España en Lisboa. Se inicia la ceremonia y Tomás es avisado. Llamada urgente de España. La marquesa viuda ha muerto. Se suspende la boda y Sotoancho emprende viaje de regreso. Su madre, muerta, no es como todas las muertas. Mueve la boca. Y se aparece por las noches. Al fin, Sotoancho comprende que se trata de una mentira. Pero la marquesa viuda ha vencido, impidiendo la boda. La distancia del océano apaga la pasión de Sotoancho, que vuelve a enamorarse de Marisol, que a su vez, en venganza, se ha liado con un estudiante de Arquitectura de Sevilla. Todo se perdona, pero la madre sigue ahí. Y surge el milagro. La aparición inesperada de un anciano lituano, Arturas Markulonis, viejo profesor de baile de la marquesa viuda cuando ésta era niña, y que reconoce haber mantenido con la intransigente dama un amor volcánico y pecaminoso, cuando ésta contaba con 17 años de edad. La evidencia derrumba a la marquesa y acepta a regañadientes la boda de su hijo con la hija del guarda. Y ésta se celebra por todo lo alto en La Jaralera.

MARISOL MONTEJO FRECHILLA,
MARQUESA DE SOTOANCHO.

Lugar de nacimiento: Zahara de los Atunes (Cádiz).
Fecha de nacimiento: 7 de abril de 1979.
Estudiante de 3.er curso de Arquitectura.

   Hija de Lucas, el guarda de La Manchona, cuartel serrano de La Jaralera. Rubia, de mediana estatura, bellísima e inteligente. Después de muchos avatares y críticas, es la nueva marquesa de Sotoancho. Por ahora, sin hijos, claro, que no ha dado tiempo todavía.

CRISTINA VICTORIA JIMENA BELVÍS
DE LOS GAZULES HENDINGS, BOISSESON
Y HENDINGS, MARQUESA VIUDA DE SOTOANCHO.

Lugar de nacimiento: Jerez de la Frontera (Cádiz).
Fecha de nacimiento: 19 de enero de 1911.
Estado civil: Viuda de don Ildefonso Gonzalo del Prendimiento Ximénez de Andrada y Valeria

del Guadalén, De Elcano y Mendiluce, anterior marqués de Sotoancho y padre, como es natural, de su hijo.

Su intransigencia, religiosidad pretrentina, su franquismo irredento —se enteró de la muerte de Franco con quince años de retraso para privarla del soponcio—, y su obsesión por casar a su hijo con una joven de buena familia chocan con el destino. Durante décadas ha mandado sobre todo. Sobre su hijo, sobre sus bienes, sobre el servicio, sobre la fortuna, sobre el capellán y en ocasiones, sobre el mismo Dios. No ha perdonado a los Reyes no haber sido invitada a las bodas de las Infantas. Es secuestrada y obligada, por los delincuentes, a abandonar el lugar del secuestro. Cuando parecía que iba a triunfar, una vez más, contra la voluntad de su hijo, aparece Arturas Markulonis, su gran amor, su secreto celosamente guardado, y su integridad se desmorona. Se ve obligada a aceptar la boda de su hijo con Marisol, la hija del guarda. Pero no piensa renunciar a su condición de marquesa uno de la casa, como pretende su hijo, que le ha asignado, como marquesa viuda, el lugar de la marquesa dos. Y hará lo posible y lo imposible por defender sus privilegios.

JUAN JOSÉ HENESTRILLAS
Y VALERIA DEL GUADALÉN.

Lugar de nacimiento: Sevilla.
Fecha: 2 de mayo de 1906.
Estado Civil: Se casó a los 92 años con Paquita la Atunera de Barbate. Supuestamente tiene un hijo de dos años.

Propietario de El Acebuchal. Tío del marqués. Gran fornicador. También multimillonario. Hembrero de cumbre alta. No piensa en otra cosa que en las mujeres. Su salud de hierro le ha permitido sobrevivir a varias intentonas de la Parca, que mujer al cabo, se ha dejado vencer por sus encantos.

TOMÁS MIRANDA CARRETÓN.

Lugar de nacimiento: Quintanilla del Ebro (Burgos).
Fecha: 6 de diciembre de 1947.
Estado civil: Soltero.
Estado emocional: Siempre enamorado de Flora.

Mayordomo y ayuda de cámara del marqués de Sotoancho. Leal y competente, pedigüeño y discreto. Ama a Flora apasionadamente y compite con sus otros pretendientes. Es la mano derecha de Sotoancho, y en su ausencia, el marqués está perdido. Se considera un segundo padre de Marisol, la nueva marquesa.

FLORA BERMUDO GUTIÉRREZ.

Lugar de nacimiento: Algodonales (Cádiz).
Fecha: 4 de septiembre de 1967.
Estado civil: Soltera.
Estado emocional: Fue novia del Cigala y ahora olvida sus penas sabiéndose el sueño de los hombres de La Jaralera.

Doncella y ponebaños de la marquesa viuda. Mantuvo relaciones fuertes con el Cigala, secuestrador y posterior pinche de La Jaralera, que terminó por alistarse en la Legión. Detrás de ella están Tomás, Pepillo y Lucas, el padre de Marisol. Guapísima e insinuante. Es íntima amiga de la nueva marquesa.

DON IGNACIO ZARRÍAS MARTÍNEZ.

Lugar de nacimiento: Cardeñosa (Ávila).
Fecha: 31 de diciembre de 1931.
Estado civil: Sacerdote.

Capellán de La Jaralera, de misa de culo y en latín. Cómplice de la marquesa viuda, al menos hasta la fecha. Glotón e interesado. Vive como un príncipe, pero siempre atado a los caprichos de la marquesa viuda, a la que un día, según Tomás, intentó asesinar, si bien no pudo demostrarse.

José González Ortega, el Cigala.

Lugar de nacimiento: Puerto Real (Cádiz).
Fecha: 8 de junio de 1963.
Estado civil: No se sabe.

Delincuente y pinche de cocina, palmero, agradador de ricos, capitalista taurino... Con un don para las mujeres que rompe todos los moldes. Cuando Flora intentó averiguar su vida pasada, se alistó en el Tercio en Montejaque, Ronda.

Ramona Bizcarrondo Iruretagoyena.

Lugar de nacimiento: Zumárraga (Guipúzcoa).
Fecha: 6 de abril de 1945.
Estado civil: Viuda.

Cocinera de La Jaralera. Extraordinaria. Ella va a su aire. No se le conocen amores ni deslices.

LUCAS MONTEJO HUERTALES.

Lugar de nacimiento: Don Benito (Badajoz).
Fecha: 19 de octubre de 1946.
Estado civil: Viudo.

Padre de Marisol, la nueva marquesa. Guarda de La Jaralera. Ahora, retirado por su yerno con una buena renta y dos pisos, uno en Sevilla y otro en Arcos de la Frontera.

RAMÓN PERONA DE LUIS.

Lugar de nacimiento: Almodóvar del Río (Córdoba).
Fecha: 6 de enero de 1948.
Estado civil: Casado.

Antiguo director del banco y ahora administrador de La Jaralera, porque roba menos.

MANUEL PROTILLO BONAFÉ.

Lugar de nacimiento: Valdemorillo (Madrid).
Fecha: 26 de julio de 1950.
Estado civil: Soltero.

Chófer de La Jaralera.

ELENA GARCILÓPEZ CARLI.

Lugar de nacimiento: Cuenca.
Fecha: 9 de mayo de 1971.
Estado civil: Soltera.

Nueva doncella de La Jaralera. Impresionante. Profesora de EGB. Rubia, alta y un tanto miope.

JOSÉ DE LORENZO SERRANO PEPILLO.

Lugar de nacimiento: La Almadraba de Campo Soto (San Fernando, Cádiz).
Fecha: 5 de octubre de 1971.
Estado civil: Soltero.

Tiburones

—Después de estos días maravillosos, volver a casa me da pereza, mi amor.

—A mí también, Marisol. Pero no podemos abandonar nuestro sitio.

—Me horroriza la relación con tu madre.

—Ya está domesticada.

—Dime que siempre estarás de mi lado.

—Yo siempre he estado y estaré del lado de la marquesa de Sotoancho, y la actual marquesa de Sotoancho eres tú, Marisol.

Nos acaban de anunciar que en unos minutos nuestro avión aterrizará en Barajas. Venimos de Caracas. Marisol y yo hemos pasado unos días de ensueño en el archipiélago de Los Roques, el último paraíso del Caribe. Ahora es parque nacional de Venezuela, pero mis amigas Teresa y Carolina Machado, nietas de su anterior propietario, mantienen una casa en aquel prodigio de aguas transparentes y azules, atardeceres de pelícanos y albatros, y horizontes de palmeras. Playas blancas y solitarias, y muchos tiburones. Que todavía no me he repuesto del susto. Marisol, con su manía, bañándose desnuda, nadando sobre arrecifes multicolores, y yo en la orilla, vigilándola.

—¡Cristián, qué maravilla, ven a ver esto!

Para ver «eso», que quería Marisol, había que adentrarse en la mar. Ya he reconocido públicamente que para nadar necesito de la ayuda de un flota, porque Mamá nunca me permitió dar clases de natación. Así que agarré el flota —carmesí, por cierto, con caballitos de mar color azafrán—, y con la decisión propia de los recién casados principié mi chapoteo hacia la mujer amada. Previamente me había acoplado a los pies dos aletas y a los ojos unas gafas de bucear.

—¡Rápido, Cristián! —insistió Marisol.

Casi ahogado alcancé su altura. Marisol buceaba como una orca, y era divertido ver su culito en pompa cuando se sumergía. Limpié las gafas y metí con mucho cuidado la cabeza en el agua. Efectivamente, aquello era un prodigio. Un fondo en verdes, oros, sepias, y rosas, y mil peces de colores disputándose los corales. Entre los peces, Marisol, como uno más, sin reparos ni prudencias.

Por fin emergió.

—¿No te parece maravilloso, mi amor?

—Sí, niña, pero si seguimos así me voy a ahogar, porque el flota está poco inflado.

Era una excusa hábil, para justificar mi terror a los arrecifes de coral con peces de colores. Marisol sonreía.

—¡De acuerdo, nos vamos!

Iniciábamos el corto pero penoso camino de vuelta hacia la playa cuando noté que una lengua me chupaba un pie. El corazón a cien por hora.

—¡Marisol, un tiburón! —grité horrorizado.

¡Qué fuerte es el amor! Marisol, que había alcanzado ya la orilla, dio un giro de merluza alarmada, y acudió nadando hacia mí para librarme del depredador. Otro chupetón en el mismo pie. Síncope.

—¡Tranquilo, Cristián, que no pasa nada!

Es muy fácil decir que no pasa nada cuando los tiburones le chupan los pies a otro. Pero agradecí su buena intención. Cuando le agradecía su buena intención, el tiburón se cansó de mi pie derecho, y me chupó el izquierdo, como probando cuál era mejor para empezar el aperitivo.

—¡Ya estoy, Cristián!

Marisol, a diez metros del lugar de la tragedia, se zambulló en el agua y desapareció de mi vista. Segundos interminables. Al fin, su cabecita emergió a mi lado. Se estaba riendo.

—No es un tiburón, mi amor, es un mero.

El mero, en efecto, tiene unos labios muy carnosos. Los expertos en cosas del mar aseguran que es muy cotilla. No obstante, mi mero era más que curioso. La curiosidad no consiste en ir chupando los pies del prójimo. Cuando se lo iba a comentar a Marisol, ésta había desaparecido de nuevo bajo las aguas. Seguramente le estaban convenciendo al mero para que dejara de chupar los pies de su marido. Sacó la cabeza de nuevo, y ya no se reía.

—El mero se ha ido, Cristián, pero rápido hacia la orilla.

Algo le había asustado a Marisol.

—¿Has visto más meros chupones?

—Tranquilo y rápido, Cristián. No muevas tanto las piernas. Procura no chapotear con los brazos.

—¿Cuántos meros? —insistí, ignorante del peligro.

—Cuando hagas pie, sal corriendo a toda pastilla, mi amor.

—Eres muy rara, Marisol. Pasas de hablar con los meros a escapar de los meros.

—El problema es que un poco más allá del mero, hay cuatro tiburones.

Al oír la palabra «tiburones» se me escayoló el yeyuno. Grité, eso sí, que uno es de secano, y lo más parecido que hay en La Jaralera a un tiburón es el Citroën de segunda mano de Pepillo el jardinero. Después de gritar, deduje que con un flota carmesí con hipocampos color azafrán, las posibilidades de sobrevivir eran escasas. Marisol tiraba de mí, y una gaviota confundió mi nariz con una anchoa y casi se hace con ella.

—Ya falta poco, Cristián, un esfuercito.

Llegamos a la orilla y saltamos hacia la arena. Yo escapé por el agujero del flota como si éste tuviera vaselina. El corazón se me salía por la boca, y Marisol, agotada, se había tumbado en la playa. Parecía un filete empanado. El flota navegaba despistado hasta que una boca llena de dientes, muy parecida a la de tío Jimmy Belvís, lo pinchó de un mordisco. Dos segundos más y el tiburón se lleva una de mis piernas, que son mi orgullo. Marisol no reaccionaba.

—Ya estamos a salvo, escalopito de ternera.

No le hizo gracia mi agudeza. Me miró y resopló varias veces, como desahogando el susto que llevaba dentro.

—Has estado a punto de que te coma un tiburón, y todavía tienes ganas de bromitas. No te entiendo, Cristián.

Inconsciente que es uno. Pero aquella noche no cerré un ojo, y cuando parecía que el sueño me dominaba, veía al pobre flota pinchado por el mordisco del tiburón y se me abrían los ojos como platos. Un milagro nos salvó, y ya no temo ni al aterrizaje. Se dibuja Madrid a la izquierda. Marisol mira por la ventanilla y me alarga su mano derecha, para que se la tome. Aunque no quiere reconocerlo, le dan pavor los aviones. El piloto es muy aficionado a los baches, porque no ha conseguido esquivar ninguno desde que despegamos de Caracas. Ya han sacado las ruedas. A Marisol le suda un pelín la mano. Algo tenía que tener de familia ordinaria. Pero sólo le sudan las manos cuando el avión va a aterrizar. La carretera de Barcelona abarrotada de coches. ¡Patapún! ¡Qué tío! Así aterriza cualquiera. Ya hemos llegado. Marisol me da un beso. Cuando nos levantamos para abandonar el avión, la azafata me suelta una impertinencia.

—Señor, su hija se deja este bolso. —Era, ciertamente, el bolso de Marisol.

—Gracias, señorita, pero no es mi hija. Es mi mujer.

—Perdóneme, señor.

—No hay nada que perdonar. Pero es mi mujer, no mi hija.

—Lo comprendo, señor.

—Lo comprende, pero usted es la que ha dicho que era mi hija, cuando en realidad es mi mujer.

—¿Quieres dejar de decir bobadas, Cristián? Era Marisol, la culpable del malentendido.

—Sí, mi amor, ya voy.

Recalqué mucho lo de «mi amor», para que lo oyera la azafata. No me gusta que la gente confunda los parentescos.

—Tu bolso, mi amor, que te lo habías dejado en el avión.

—¡Huy, qué despistada soy!

El amor lo perdona todo. Taxi y al AVE. Son las nueve de la mañana. En taxi hasta la estación de Atocha. El taxista, que debe de ser familiar de la azafata, insiste en el error.

—Si lo desea, subo la ventanilla. Me parece que su hija se está despeinando.

—No es mi hija, es mi mujer. Y de acuerdo. Suba la ventanilla.

Seco como la mojama. La paciencia tiene un límite.

En el AVE, más de lo mismo. Se han equivocado con los billetes, que habíamos pedido de la clase «Club» en asientos de fumadores. Desde que me casé he vuelto a fumar porque Mamá ya no puede regañarme.

—Está completo el tren hasta Córdoba. Pero si desea fumar su hija, puede hacerlo en la cafetería.

—Deseo fumar yo, y no es mi hija, sino mi mujer.

La gente de Madrid no da una en el clavo.

El viaje hasta Sevilla, en un pispás. He dormitado hasta Puertollano. De ahí a Córdoba, el trayecto es un prodigio. Primero las dehesas, que poco a poco van ondulándose. De golpe, Sierra Morena, con sus alcores verdes y sus manchas ariscas. Cuando el terreno se hace más agreste y empinado, cruzamos La Garganta de Baviera. Adelfas salvajes, charcas de agua, arbustos invencibles para quien no sea un cochino o un podenco de rehala antigua. En Córdoba, de nuevo, una cabezadita. Golpe en el codo de Marisol.

—Cristián, estamos en Sevilla.

Lo más cansado del AVE es el camino a pie por el andén de Santa Justa. Un maletero ha empinado nuestro equipaje sobre un carro de ruedas desengrasadas. Al pie de la escalera, Manolo el chófer. Marisol se ha abrazado a él y le ha plantado un par de besos. Esta chica no ha aprendido todavía que es la marquesa de Sotoancho.

—Buenas tardes, señor marqués. Tiene muy buen color.

—El Caribe, Manolo.

—Y tú, Marisol... perdón, usted, señora, está para chuparse los dedos.

—Gracias, Manolo.

—Los dedos se los chupo yo sólo, Manolo.

Toque de atención. Más vale ponerse una vez colorado que cien amarillo. Marisol me ha mirado con furia contenida, y a Manolo se le ha iniciado un proceso de agobio. Pero el servicio tiene que enterarse de la nueva situación de mi mujer. Ya no es de ellos. No me ha gustado la metáfora de chupar sus dedos. No se chupan los dedos de las señoras ajenas.

—Manolo, olvídese de los dedos de la señora marquesa.

—Perdón, señor, ha sido un atrevimiento por mi parte.

—Mi madre, ¿bien?

—Lo que usted quiera interpretar como «bien». Está de muy mal humor. Anteayer regañó con don Ignacio, y esta mañana, le ha dado un rapapolvos a Flora porque el solideo de Su Santidad el papa Pío XI, según ella, ha encogido.

—Será un milagro.

—Es lo que ha dicho Flora, pero ni por ésas. Según la señora marquesa viuda ha encogido porque se ha lavado, y los solideos de los Papas no se pueden lavar. Pierden la reliquia del sudorcillo.

—¿Y la administración?

—Todo en orden. El señor Alcoceba fue definitivamente expulsado y ha sido contratado el señor Perona, el director del banco.

—Me gusta el cambio. Alcoceba nos robaba muchísimo más de lo establecido.

—Y Fermina, que está preñada.

—¿De quién?

—De su marido, señor marqués.

—Eso no es noticia. ¿Y Tomás?

—De permiso, señor marqués.

—¿De permiso de quién?

—Se lo concedió la señora marquesa viuda con motivo de su boda.

—Pues que vuelva inmediatamente. Si Tomás no está en casa, me voy al Alfonso XIII.

Tomás es mucho para mí. Conoce el punto exacto de la temperatura del agua para mis baños. Me prepara los patitos de goma y las esponjas con pompitas. Limpia mejor que nadie los zapatos. No me gusta la maniobra de Mamá. Ha aprovechado mi ausencia para darle un permiso que no le correspondía. Un ajuste de tuerca. Eso es lo que voy a hacer cuando llegue a casa.

Marisol ha abierto los brazos, ha dado un grito, ha puesto la boca como un buzón de correos y se ha lanzado a la carrera.

—¡Papá!

Ahí está Lucas, mi suegro, abrazado a su hija, llorando de alegría. Hay que perdonarle el llanto, dada su baja condición social. Marisol no se despega de él.

—¡Qué ganas tenía de verte, padre!

—¡Ay, hija mía, lo solo que me siento sin ti!

—Hemos estado a punto de que nos comiera un tiburón.

La reacción de Lucas ha sido la esperada. La gente del servicio llora una barbaridad por trances superados. Si un niño tiene una gripe, no pasa nada durante la gripe. Pero cuando se cura, todos se ponen a llorar. Son rarísimos. El soponcio de Lucas, de ahogo y convulsiones.

—No te pongas así, padre, que todo ha pasado.

Al fin se ha calmado. En pleno ajuste hacia el sosiego, ha reparado en mí.

—Bienvenido, señor marqués.

—Puedes llamarme Cristián, Lucas. Soy tu yerno.

—Pero no me sale con naturalidad, señor.

—Te acostumbrarás en poco tiempo.

Lucas ha quedado con Marisol en verse en Sevilla. Despedida tierna y demasiado larga.

—Marisol, que tenemos que llegar a casa a comer.

—Lo sé, mi amor, y no me apetece nada.

—Cuanto antes pasemos por el amargo trance de reencontrarnos con Mamá, mejor para los dos. Manolo, no hagas caso de las señales de tráfico.

A los veinte minutos, la puerta principal de La Jaralera. Mamá nos esperaba en el salón.

—¡Hola, Mamá! ¿Cómo éstas?

—Pachucha tirando a mal, Susú.

Un beso frío como un amanecer en Ávila. Marisol, tímida y cortada, se ha atrevido a saludarla.

—Encantada de verla, señora.

—No puedo decir lo mismo pero te lo agradezco. A partir de ahora, Marisol, deberás tutearme y llamarme por mi nombre. Cristina.

—Pues encantada de verte, Cristina.

—Pero no tan rápido. Puedes tutearme y llamarme «Cristina» a partir de la próxima noche.

Ha aparecido Flora, y se ha fundido en un abrazo interminable con Marisol. Mamá ha intervenido.

—Flora, la señora y tú no pueden abrazarse tanto.

—Lo siento, señora marquesa, pero no he podido contenerme.

Ahí he intervenido yo. Tuerca apretada.

—Flora, la señora marquesa es mi mujer. Mi madre, desde ahora, es la señora marquesa viuda.

Mamá como una hiena.

—¡Eso sí que no! La señora marquesa soy yo, aunque sea la viuda. Para ti, Flora, y que lo sepa todo el servicio, la nueva señora marquesa menestral será tratada como doña Marisol.

Tuve que interrumpirla.

—Flora. Reúna al personal de casa. Que vengan todos, incluidos los niños de los empleados. Sólo falta Tomás, que está de permiso sin mi permiso y al que pondré al corriente de los acontecimientos cuando se reincorpore. Flora, en treinta minutos, ni uno más, ni uno menos, todos aquí. Y también don Ignacio y el señor Perona, el administrador.

Mamá tenía el color del calamar congelado.

—Como ordene, señor marqués.

Cuando estuvimos solos, mi madre volvió al ataque.

—No puedes privarme del tratamiento que me corresponde, Susú.

—No te privo de nada. Eres la marquesa viuda. La marquesa fetén es Marisol.

—Cristián, no me importa nada cómo me llamen y me traten. Lo único que quiero es ser feliz y que tengamos la fiesta en paz. Hazle caso a tu madre.

—No puedo, Marisol. Mi deber es poner las cosas en su sitio y los puntos sobre las íes, y al que no le guste, gominolas de fresa.

Mamá, a punto de la cólera humana, que no divina.

—¡Déjate de frases imbéciles y de gominolas de fresa! ¡En esta casa la marquesa soy yo!

—La viuda.

—¡La única! Esta chica —señalando a Marisol—, no puede usurpar mis derechos.

—Mamá, aquí la que usurpa eres tú.

—¡No pienso estar presente en esa reunión! Mi humildad y capacidad de sufrimiento tienen un límite. Si cambias de actitud, me tienes a tu relativa disposición en mi cuarto.

Mamá se ha levantado. Cojea para ablandarme. En un momento se ha detenido y ha tosido mientras se echaba una mano a la altura del corazón. Marisol ha asistido al acto trágico sin apenas intervenir. Se ha puesto nerviosa y se da palmaditas en la tripa, que lleva al aire, enseñando su adorable ombliguillo. Lo tiene muy redondito y metido hacia dentro, y a mí me gusta hurgárselo con el dedo meñique. Al tercer golpe de ombligo, Mamá ha dejado de toser.

—Y en esta casa, las señoras visten con decencia y no se aplauden en la tripa.

—Marisol, sigue dándote en el ombligo.

Desde que pasó lo de Arturas Markulonis, mi autoridad es irresistible. Mamá ha pasado de ser una pantera de java a un mono aullador del Amazonas, que grita mucho, asusta, y no hace nada de nada. Marisol, obedeciéndome, ha vuelto a darse palmaditas en la tripuela.

La mirada de odio de Mamá al abandonar el salón, tengo que reconocerlo, me ha desvencijado las corvas. Si no me agarro al sillón, me caigo.

—Cristián. Yo tampoco quiero estar en esa reunión. Prefiero darme un bañito antes de comer.

La mirada de amor de Marisol al abandonar el salón, tengo que reconocerlo, me ha rejuvenecido el alma.

●●●●

Todos ante mí. Don Ignacio me ha saludado con afecto. Perona, gran inclinador de cráneos, me ha dispensado el más reverencial de sus escorzos. Ahí están el capellán, el administrador, Flora, Ramona, Pepillo, Manolo, Fermina, los cuatro guardas, el tractorista y dos nuevas doncellas, que no me han presentado. Fichajes de Mamá. He tosido un par de veces, y al fin, me he decidido a hablar.

—Amigos míos. Esta casa no puede permanecer en el siglo XIX. Todo cambia, todo queda, pero lo nuestro es pasar, pasar haciendo caminos, caminos sobre la mar, como decía el poeta. La era de mi madre ha dado paso a la de mi mujer. Sé que para vosotros resulta chocante que vuestra nueva señora sea Marisol, una niña que ha convivido con vosotros, y participado de vuestras bromas, y reído con las ordinarieces que soléis decir cuando os sentís libres. Pero es así, y punto. En privado, podéis llamarla como os venga en gana, pero ante mí y en público, os dirigiréis a ella como «señora marquesa». A mi madre, «señora

33

marquesa viuda», que lo es desde que murió mi padre, aunque nunca se le haya tratado como tal. La dueña de esta casa y de este campo es mi mujer, vuestra Marisol. Y Marisol, sólo Marisol, es la señora marquesa a secas. ¿Entendido?

El personal, asombrado de mi decisión. Todos han asentido. El golpe de timón ha enderezado, al fin, el rumbo de esta nave. No es fácil el ejercicio de la responsabilidad. Ya solo en el salón, he intentado servirme una ginebrita. No hay hielo. No hay ginebra. No está Tomás.

Obdulio y Vanessa

No preciso de fármacos ni estimulantes. Cumplo con Marisol casi todos los días, y a veces en doble programa, sesión de tarde y sesión de noche. Me vuelve loco esta mujer, mi mujer. Jaca rubia y poderosa, insinuante, celestial y encendida. No más pienso en ella y el bálano se me encabrita, me halle donde me halle. Don Ignacio, que se quiere enterar de todo, dejó caer durante una charlita que mantuvimos ayer por la mañana, que todo lo que signifique gozo sin objetivo es concupiscencia, pecado y suciedad. Estoy seguro de que hablaba por boca de Mamá, que mantiene una actitud de distancia hacia Marisol. Lo pasamos tan bien en la cama que hemos decidido de mutuo acuerdo dejar lo del heredero para más adelante.

—Lo malo es que se te acaben las reservas, mi amor.

—Contigo a mi lado, hay petróleo para rato.

Marisol no ha cambiado sus costumbres. Provoca y rompe los esquemas de Mamá. Se viste con libertad, y a mí me gusta. Cuando observo los calentones de los demás, me siento más dueño que nunca de sus prodigios. «Se ve pero no se toca.» Mamá defiende sus viejas teorías, que las mujeres no deben enseñar sus encantos, que es pecado acentuar las curvas, que la guitarra de las caderas es pasión de gitano.

—Tu padre jamás me vio desnuda, Susú.

Así le fue a mi pobre padre, que encontró en andariegas y cerrillanas su desahogo de jinete macho. Aquellos ojos tristes cuando se marchó *Fraülein* María, detalles captados por mi inocencia y que ahora adquieren su verdadero significado. Recuerdo a Papá galopando hacia la Dehesilla, en cuyo cortijo vivía Merceditas la viuda, que un día, inesperadamente, abandonó nuestro campo y se fue a vivir a Jerez, a un piso en la avenida Álvaro Domecq, que es barrio de rumbos y posibles. Todas las tardes, después del café, incluso en los meses de calor más tórrido, Papá se marchaba a galopar. Aún veo su perfil airoso montado en la *Ronquita*, su yegua más nerviosa, la camisa blanca, los tirantes, los zahones de cuero, los botos atenazados por el brillo de las espuelas romas. —¡Vamos *Ronquita*!—, y la alazana que se ponía de manos, y pasaba directamente de la quietud al galope, viento abajo va, camino del cortijo de Merceditas la viuda, que tenía la piel del color de la caoba.

—Vuelve pronto, Ildefonso —le decía Mamá.

Y ya en el atardecielo, Papá que volvía al paso, con la *Ronquita* sosegada, con un cigarrillo en la boca y una expresión de cansancio sano, de hombre cumplido, que yo no sabía interpretar en aquellos tiempos.

—No sé que tiene el campo que no te ofrezca yo —le decía Mamá con queja pertinaz.

Y Papá que mascullaba algo, que no decía nada, que se iba a tomar un baño, y ya cambiado de ropa y alma, se sentaba en el salón con su vaso de whisky en la mano, la mirada perdida, el ánimo en otra parte.

—¡Cómo se aburre mi padre! —pensaba para mí, sin atreverme casi ni a la razón del pensamiento.

—No sé qué tiene el campo que no te ofrezca yo.

Y una tarde, que Papá estalló.

—¡Vida, Cristina, vida!

Y noté que Mamá le miraba como si fuera un bicho raro.

· · · ·

—Buenos días, señor marqués.

—¡¡¡Tomás!!! ¡Por fin has vuelto!

Ahí está, más altivo que nunca. Tomás Miranda Carretón, el mejor ayuda de cámara de Andalucía la Baja, mayordomo insigne, golfo de armas tomar, tierno y pedigüeño, listo como una oropéndola macho, infiel en lo superfluo y leal en lo fundamental. Mi gran confidente.

—Tomás. Uno no se va de permiso sin permiso.

—Me lo dio la señora marquesa.

—Dirás, la señora marquesa viuda. Porque aquí, marquesa a secas sólo hay una, y es doña Marisol.

—Me permitirá, señor marqués, unos días de adaptación para no morirme de calambres cada vez que llame a Marisol «señora marquesa».

—Tienes una semana de adaptación.

—¡¡¡Tomás!!!

—¡¡¡Marisol!!!

Marisol se ha abrazado a Tomás con fuerza. Tomás le dice «mi niña», y Marisol se ha emocionado.

—Nos haces mucha falta, Tomás.

—Por eso estoy aquí. El señor marqués me ha dado una semana de plazo para acostumbrarme a llamarte «señora marquesa».

—Tú no tienes que llamarme así.

Aquí, en este punto, me he visto obligado a intervenir.

—Marisol. A Tomás no le mortifica darte el tratamiento.

—Pero a mí sí, Cristián. Tomás es como mi segundo padre.

—La Historia es la Historia, Marisol.

—Y el ridículo, el ridículo. Por lo menos, que en privado pueda seguir llamándome Marisol o «mi niña».

En eso hemos quedado. Tomás me ha preguntado por Mamá.

—¿Cómo está la señora marquesa viuda?

—Según ella, pachucha tirando a mal.

—Tendrá que estar prevenido, señor. Su madre no está vencida.

—A mi madre la tengo debajo de un pie.

—Su madre no se deja ganar así como así.

—Olvidas las evidencias de su turbio pasado juvenil.

—Eso ya lo ha superado, señor. A su madre, lo único que le importa es el presente. Y ese presente se llama Marisol.

—Ya se lo tengo advertido. A ella y al resto del servicio. Aquí, la señora de esta casa es mi mujer, no mi madre.

—Pianito, señor marqués, pianito. Mejor estar preparado.

—Lo estaré, Tomás. El «príncipe de gales» y los zapatos marrones. A partir de ahora, (sí, gracias, los calcetines negros), a partir de ahora, Tomás, llamarás varias veces a la puerta antes de entrar. Mi mujer está casi siempre en pelotas.

—Así lo haré. Pero no se preocupe por eso, porque ya la he visto en pelotas.

—¿Dónde, Tomás? (Sí, la camisa azul clarita.) ¿Dónde has visto a Marisol en pelotas?

—En casa de Lucas, señor. A la señora marquesa actual nunca le ha importado salir y entrar en bolas. Usted mismo, señor marqués, en el Guadalmecín...

—Pero aquello fue diferente. Una casualidad.

—Mire, señor, para su tranquilidad. Marisol es para mí como una hija. Pero llamaré a la puerta con más fuerza, para anunciar mi presencia.

No me gusta que Tomás reconozca con tanta naturalidad que ha visto desnuda a mi mujer. Un problema más. Siento celos. Entiendo que mi generación y la de Marisol interpretan las cosas y las decencias de manera diferente, pero de ahí a... Bueno, ya hablaré con mi mujer, que está bañándose. Ha terminado ya.

—Marisol...

—¿Qué, Cristián? ¿Sigues ahí, Tomás?

—Aquí sigo, señora marquesa.

Y lo ha dicho sin apartar su vista de la señora marquesa, que ha aparecido desnuda, como si nada, como si andar en canicas de un lado a otro fuera lo más normal.

—Marisol, cúbrete inmediatamente.

Lo he ordenado con fuerza y acritud. Mi mujer lo ha notado. En un barco, conviene de cuando en cuando demostrar quién es el capitán.

—Tomás, déjanos solos.

Se ha ido sin rechistar. Marisol, con un albornoz, sentada y con carita de cabreo.

—¿Se puede saber a qué viene esto, Cristián?

—Viene a que no me parece decente que andes desnuda delante de la gente, por mucha confianza que tengas.

—De acuerdo, pero eso se dice en privado. Lo que has hecho no tiene nombre.

—Lo grave es lo tuyo, Marisol.

—Tomás me ha visto en bolas cien veces.

—No lo sabía.

—Y Manolo el chófer... y Pepillo el jardinero.

—Eso no está bien, mi amor.

—No está bien para ti, pero está. Procuraré ser más cuidadosa a partir de ahora ¿Qué me pongo para cenar?

Difícil respuesta la mía. La cena es reunión complicada. Nos sentamos a la mesa Mamá, don Ignacio, Marisol y yo. Esta noche tengo que imponerme. El sitio de Mamá, la cabecera que está en la provincia de Sevilla, le pertenece ya a Marisol. Yo ocuparé la cabecera de la provincia de Cádiz, y Mamá y don Ignacio los lugares menos preferentes. Va a ser muy duro sacar a Mamá de ahí.

—Ponte lo que quieras, mi amor.

—¿Con sostén o sueltita?

—Con sostén.

—Me ahoga, y además me duele.

—Pues sueltita, pero no demasiado.

Marisol es una provocadora. Sabe que don Ignacio y Mamá van a poner el grito en el cielo cuando la vean. Le divierte que la cena la sirvan Tomás y Flora. Se cree que esto es un juego.

En el salón, Mamá y don Ignacio. Marisol ha irrumpido bellísima y arrolladora. Su piel, todavía tostada por el sol del Caribe, tiene el color de los toffees de la viuda de Solano (Logroño), que tanto me gustaban cuando era niño. Le bailan los pechos bajo el vestido, con los pitones en punta, duros e insinuantes.

—Cristián. Adviértele a tu mujer que en esta casa tenemos por costumbre cenar vestidos.

La voz de Mamá, impertinente y seca.

—Buenas noches, Cristina. Yo me visto así.

La voz de Marisol, cortante y segura. ¡Bien, alazana!

—Buenas noches, señora marquesa.

Don Ignacio se ha incorporado a la entrada de Marisol. Mamá le ha atravesado con su mirada. No se acostumbra a la nueva situación.

Tomás se ha hecho cargo de las bebidas. Con muy mala intención, regodeándose en la suerte, se ha dirigido a Marisol.

—¿Le apetece tomar algo, señora marquesa?

Mamá, al oír el «señora marquesa» ha intentado llevar las gallinas a su corral.

—No, Tomás, que estoy un tanto pachucha.

Pero Tomás es invencible.

—No me dirigía a usted, señora marquesa viuda. Se lo preguntaba a la señora marquesa.

Patada en el hígado. Mamá ha mirado a don Ignacio, y éste, que de tonto no tiene un pelo, ha apuntado un gestito como diciendo «déjelo estar». Marisol ha hablado.

—Pues sí, Tomás. Quiero agarrarme una cogorza.

—Lo mejor para agarrarse una cogorza, señora marquesa, es el martini.

—Un martini, Tomás.

—Marchando el martini para la señora marquesa.

A Mamá se le ha ido la sangre. Abre los ojos, mira, resopla, pero no reacciona. Me ha dado algo de pena.

—¿Y tú, Mamá? —le he preguntado solícito.

—Nada, excepto morirme.

Don Ignacio me acompaña en el whisky y Marisol, de un golpe, se ha tragado el martini.

—Otro martini, Tomás. Estaba de puta madre.

—Ahora mismo, señora marquesa.

El deterioro de Mamá se ha acentuado al oír la expresiva frase de mi mujer. Me ha sonado bien, divertida.

—Cristián, dile a tu mujer que deje de beber y de hablar como un bombero.

Mamá tiene este tipo de salidas desconcertantes. Jamás había reparado en la forma de hablar de los bomberos. Pero Marisol no se ha sentido rozada por la severidad de mi madre.

—Tomás, otro martini, por favor.

—No es pof ravor, señora marquesa, es por favor.

—No sé qué me pasa en la lengua.

—No deberías beber más, mi vida.

—Sí, Cristián. Esta noche me la agarro. Quiero estar pedo para decirle a tu madre lo que pienso de ella.

Terrible situación. Don Ignacio ha terciado.

—Quizá sería conveniente...

Pero Marisol, cuando está lanzada, no es jaca que obedezca a rienda alguna.

—Quizá sería conveniente que se callara usted, don Ignacio. Tomás, otro martini.

Gracias a Dios, Flora ha aparecido con la gra ta nueva.

—La cena está servida.

Y hemos entrado en el comedor. Marisol a gatas, y yo, dándole azotes en el pompis. Cosas de recién casados.

• • • •

La mesa del comedor, más larga que nunca. Mamá se ha dirigido a su cabecera de siempre. Mi voz la ha detenido.

—No, Mamá. Marisol tiene que presidir. Sé que es doloroso, pero hay que acostumbrarse a lo nuevo. Estamos en plena transición. Tú eres doña Carmen Polo y Marisol, la Reina.

—Por mí, que se siente donde le apetezca —ha dicho Marisol.

—No, mi amor. En La Jaralera no hay apetencias ni caprichos. Aquí se cumple el protocolo. Mamá, enfrente de don Ignacio.

Ni una protesta. Dócil como una cervatilla. Me escama su obediencia. Marisol se ha sentado en la cabecera que corresponde a la dueña de la casa. Lo ha hecho durante tres segundos. Se ha incorporado.

—Perdón, pero no me encuentro bien. Creo que voy a potar.

Carrera desenfrenada. Afortunadamente ha llegado a tiempo al cuarto de baño. Ha devuelto los martinis y todo lo que tenía dentro.

—Perdón, Cristián. Pero no estoy preparada para esto. Quiero cenar en la cocina, con Ramona y con Flora.

—No, Marisol. Nunca más cenarás en la cocina. Tienes que vencer el miedo y los complejos.

—Pero hoy no, Cristián. Estoy borracha, me siento fatal y sólo quiero dormir. Discúlpame, por favor... y pide perdón de mi parte a tu madre y a don Ignacio.

Pálida como el caolín ha subido hacia el cuarto. Comprendo su turbación y nerviosismo. Siente la agresividad de mi madre, su resistencia a dejar de ser la gran señora de La Jaralera.

—Sube tranquila, mi amor. Y no te preocupes.

Al entrar en el comedor he reparado en Mamá. Como una niña pequeña con la cantinela de «el que se fue a Sevilla, perdió su silla», ha vuelto a ocupar la cabecera de la mesa. Me he mantenido firme como un álamo.

—Mamá, a tu sitio. Aunque Marisol no se siente en la mesa (me ha pedido que la disculpe ante ti y don Ignacio), esta cabecera es de ella. Acostúmbrate a tu nuevo establo, Mamá.

Lo he dicho en broma, para quitar hierro al asunto, pero mi madre no lo ha interpretado bien.

—Me niego a cenar. No volveré a sentarme a esta mesa. Flora, a partir de ahora, siempre comeré en mi habitación. Y usted, don Ignacio, conmigo.

—¡Hombre, señora, que yo no...!

Mi intervención, milagrosa, como casi siempre.

—Nada, nada, Mamá. Don Ignacio es el capellán de esta casa, no tu esclavo. Y aunque sea de una familia bastante ordinaria, ya no hace ruido al comer. Don Ignacio, usted en la mesa.

—Gracias, Cristián, yo no...

Mamá inflexible.

—Aunque me abandone la Santa Madre Iglesia, no cambiaré de actitud. Flora, a mi habitación.

Digna como una princesa húngara en trance de rechazar la invitación a bailar de un capitán de húsares, Mamá ha abandonado el comedor. Flora le ha preparado la bandeja, y don Ignacio y yo, servidos estupendamente por Tomás, hemos cenado mejor que bien y charlado como dos viejos amigos. En el postre, ha vuelto a la carga.

—Ya sabe, Cristián, que el acto no puede ser cumplido sólo con el fin del deseo carnal.

—Mire, don Ignacio, vamos a dejarnos de bobadas. En esta casa, a partir de ahora, polvete va y polvete viene, y el que se escandalice, carretera y manta.

—Hombre, Cristián, se lo decía porque es mi obligación. Pero en efecto, lo suyo con Marisol, la señora marquesa, es más que comprensible.

—He perdido mucho tiempo en mi vida, don Ignacio. O sea que, ¡a galopar!

—Bueno, que por mí, no quede.

—Así me gusta, don Ignacio. Modernidad.

—Seamos modernos.

—Seámoslo. Buenas noches, don Ignacio.

—Buen polvete, hijo mío.

• • • •

Ayer por la noche, cuando subí a nuestra habitación, Marisol roncaba como un chimpancé. Sueño profundo de melopea. Entre ronquido y ronquido, pesadilla. Hablaba dormida y repetía constantemente la palabra «bruja». Está claro que se refería a Mamá, que lo es bastante, aunque reconocerlo duela. Esta mañana, en la amanecida, Marisol seguía en coma. Para no molestarla, he desayunado en el comedor.

—Tomás, la señora marquesa se la agarró buena ayer.

—Impresionante.

—La próxima vez, alíviale los martinis.

—¿Se encuentra bien?

—Todavía no ha abierto los ojos. Le viene bien para no repetir en la bebida. ¿Sabes algo de mi madre, Tomás?

—Por Flora he sabido que ha desayunado en su cuarto y que no piensa abandonarlo hasta que se cumplan sus reivindicaciones.

—¿Qué reivindicaciones?

—Recuperar el tratamiento principal de la Casa y la cabecera de la provincia de Sevilla en la mesa del comedor.

—Imposible, Tomás. Por ahí no paso.

—Hace usted muy bien, señor marqués.

—La señora marquesa es Marisol.

—Bravo, señor marqués.

—Y si no está a gusto en casa, que se vaya.

—Sin Flora, pero que se vaya.

—Te sigue gustando Flora, Tomás.

—Más que nunca, señor marqués. Ahora que el sinvergüenza del Cigala está en la Legión, hay que aprovechar.

—También la ronda Pepillo, Tomás.

—Ése no es rival.

—Ánimo, Tomás.

—Gracias, señor.

Al entrar en el cuarto, Marisol con un ojo abierto.

—Me encuentro fatal, Cristián.

—La típica resaca, mi amor.

Me he acercado hasta ella. Acaricio su pelo con amor resumido. Tiene mérito el asunto, porque ella está de arcadita va, arcadita viene.

—Sigo revuelta, Cristián.

—No te preocupes. Le digo ahora mismo a Tomás que te prepare un reconstituyente. No tienes por qué levantarte.

Da vueltas en la cama. Se esconde bajo la almohada, cambia de postura. El alcohol es así de traicionero.

• • • •

Este año he invertido en venados. Me he traído de la Dehesa de Casillas, en Extremadura, diez machos esplendorosos. Casillas es una preciosa extensión de alcornocales y jaras cercana a la frontera con Portugal. Su caserío es casi un pueblo, y se parece a La Jaralera, pero tiene mejores reses que nuestra Manchona, y he creído oportuno regarla de sangre nueva. Los diez machos me han costado un ojo de la cara, y los hijos de los dueños —un varón y dos hembras—, me han hecho pagar hasta el transporte. El chico parecía más dispuesto a la generosidad, pero ellas, Adela y Maruja —sobre todo la primera—, me han dejado la cuenta corriente temblando como gelatina.

Aquí están los machos. Modesto, el nuevo guarda, el sustituto de Lucas, mi suegro, está al mando de la operación. Huele la sierra a primavera adelantada. Los alcores compiten en florecillas y colores. Vencen con holgura los amarillos y violetas. Los cajones ya han sido descendidos y se oyen dentro los desasosiegos cervunos. Saben que tienen la sierra ahí mismo y se muestran nerviosos y enfadados. Normal, porque han pasado una noche de oscuridad y viaje.

Al fin, Modesto da la orden. El primer macho sale de su cajón. Se acostumbra a la luz. Mira desafiante. Luce una cornamenta que para sí la quisiera mi tío Kiko. Tienen empaque estos bichos. Son los Sotoancho de las sierras y las dehesas. Uno a uno han ido adentrándose, con mayor o menor decisión, en su nuevo territorio. Adelfas y jaramagos silvestres. Ahí dentro encontrarán centenares de hembras, que tendrán que conquistar en la berrea de finales de agosto. Y además de las hembras, unos buenos machos con los que cruzar odios y posesiones.

—Bien, Modesto. Ya están en casa.

—Buenos ejemplares, señor marqués.

—Cornerío de aúpa.

—De más que aúpa, señor.

• • • •

51

Se ha hecho casi la hora de comer. Al llegar a casa, mi ginebrita preparada por Tomás. Marisol sigue en la cama.

—¿Cómo estás, mi amor?

—Mal, Cristián. Todo me da vueltas y no me hago conmigo.

—¿Le has pedido algo a Flora para comer?

—Pienso en comer y me desmayo.

Un beso a mi mujer. De ahí a visitar a Mamá. Está en su cuarto.

—¿Me acompañas a comer, Mamá?

—Bajo ningún concepto. Lo haré aquí y sola.

—Mamá, comprende que no hay nada contra ti. Toma el ejemplo de la reina Cristina. Cuando Alfonso XIII se casó con la reina Victoria Eugenia, la reina Madre pasó a un segundo plano.

—Pero la reina Victoria Eugenia era de muy buena familia, no como Marisol.

—Acuérdate de La Cenicienta.

—Mira, Susú. La Cenicienta no era de tan mala familia como tú crees. Y fue una casualidad. Esas cosas pasan una vez cada quinientos años. Que el Príncipe se enamore de la más ordinaria y le quepa el pie en el zapato de cristal.

—Mamá, te quiero mucho, pero mi deber me impide satisfacer tus deseos.

—Y mi dignidad, aceptar tus decisiones.

—Pues que comas a gusto, Mamá.

—Y que tú te intoxiques, Susú.

Nada que hacer. He comido con don Ignacio, que se ha puesto de mi lado. Ha mejorado mucho este hombre, y creo que le viene de perlas distanciarse un poco de mi madre. Después del café, lo he dejado dormitando en el salón. Marisol no mejora.

—Voy a llamar al médico, mi amor.

—De acuerdo, Cristián. Porque esto no es de la resaca.

El doctor Bermejo es muy buena persona, y se ha presentado en casa inmediatamente. Ha examinado a Marisol de arriba abajo —en mi opinión, con excesivo celo—, y le ha recetado unas pastillitas y un análisis de orina.

—Mañana, guarde en un frasquito su pipí de antes de desayunar.

Un asco de receta, pero hay que obedecer a la ciencia. Le ha recomendado que guarde cama y no se canse.

—Tomás, dile a Flora que se ocupe mañana del pipí de la señora marquesa.

—Yo puedo hacerlo también.

—Flora, Tomás.

—De acuerdo, señor marqués.

—Me preocupa su estado.

—No parece grave, señor.

—Me voy a pegar unos tiritos.

—Buena puntería, señor.

—Gracias, Tomás.

•   •   •   •

Mientras Flora envasaba el pipí de Marisol, yo desayunaba con Mamá, que sigue en sus trece. No transige. Al final ha intentado un acuerdo diplomático inaceptable.

—Sigo siendo la marquesa uno a cambio de renunciar a la cabecera de la mesa del comedor en la provincia de Sevilla.

—Lo siento, Mamá. Aquí no hay renuncias ni pactos. Ya no eres la marquesa uno. Eres la dos, y como tal serás tratada.

—Pues permaneceré en mi cuarto hasta que Dios me llame, que ojalá sea pronto.

Una roca. Mi madre cree que yo disfruto con esto, cuando en verdad, sufro en demasía. No se merece mis desvelos. Me he casado por amor con una mujer maravillosa, hija de un guarda, estudiante de 3.º de Arquitectura. Pero mi madre no le perdona su condición humilde.

Marisol no mejora del todo. Sigue en la cama, más animada, pero débil e insegura.

—Cristián, creo que no deberías privar a tu madre de lo que ella considera una cuestión de honor. Me importa un bledo, no sólo ser la marquesa dos, sino ser marquesa. Y lo de la presidencia de la mesa del comedor es una tontería.

—No, mi amor. Te agradezco tu comprensión, pero tú eres mi mujer, y como tal, te corresponden los honores máximos.

Tomás, que estaba presente en la conversación, como casi siempre, me ha apoyado sin reservas.

—Mi niña, no discutas con el señor marqués. La razón está de su parte.

Lo de «mi niña» no me ha convencido, pero Tomás influye mucho en Marisol.

A todas éstas, Flora que irrumpe.

—Señor marqués, que le llama el doctor Bermejo. ¿Cómo estás, chiquitina?

«Chiquitina» es como llama Flora a Marisol. Un día voy a pegar un puñetazo en la mesa. A este paso, van a terminar llamándola «mocosuela».

Para no alarmar a Marisol, he tomado el teléfono del pasillo de verano, en el corredor de las buganvillas. Casi me caigo por el ventanal cuando el médico me ha dicho que...

—Su esposa, señor marqués, y estoy en condiciones de confirmárselo, está embarazada. Mi enhorabuena más cariñosa.

No he podido responder.

—¡Oiga, oiga! ¡Señor marqués!

—Sí, doctor, es que me he quedado casi pajarito.

—Pues eso. He repetido por tres veces la prueba, y no hay error posible. La señora marquesa está encinta. Pasaré mañana por ahí, pero yo que usted, llamaría ya al ginecólogo. Le recomiendo al doctor Belzunce, extraordinario y muy caro, como todo lo bueno.

Permanezco en éxtasis de flojera.

—Gracias, doctor, adiós, muchas gracias, sí, por favor, venga cuanto antes, gracias, doctor... ¡Yuppiiiii!

••••

La escena siguiente, muy difícil de narrar. Lágrimas y abrazos. Marisol emocionada, Tomás llorando, Flora inmersa en el feliz sollozo y yo abrazado a mi media naranjita.

—La verdad, Cristián, es que algo me barruntaba, porque este mes no he tenido el ídem.

—No sabía que tuviera eso que ver.

—Pues sí, tiene que ver, y mucho. Creo que deberías informar a tu madre.

—Bueno, ya lo haré.

—No mi amor, ahora mismo. Pero antes, prométeme una cosa.

—Ya está hecho. Lo que tú quieras, mi vida.

—Cristián, si es niño, quiero que se llame Obdulio, como mi abuelo materno, y si es niña, Vanessa.

—¿Tú crees, Marisol?

—Sí, Cristián, creo y quiero. Te lo pido, por favor.

—Bueno, mi amor, si te empeñas... ya hablaremos.

—¡Promételo ahora mismo!

—Es que es muy fuerte, mi amor. Un marqués no se puede llamar Obdulio.

—A mí me encanta Obdulio. No sé qué tiene Obdulio para que no te guste.

—Y lo de Vanessa...

—Es por mi mejor amiga, que se mató en coche hace tres años. Se llamaba Vanessa.

—Bueno, Marisol, no te sofoques, que tienes que cuidarte. Voy a ver a mi madre.

—Antes de salir de este cuarto, júrame lo de Obdulio y Vanessa.

—Si no hay más remedio... te lo juro.

—Tomás y Flora son testigos.

—Te lo juro, mi amor.

—Gracias, mi vida.

• • • •

Mamá permanece sentada con igual postura y gesto que cuando la dejé. Si sigue así voy a llamar a los del Museo de Cera de Madrid, para que la expongan. Pero tengo las de ganar, porque la noticia que le voy a dar, por mucho dominio que ejerza sobre sus emociones, va a desencuadernarla.

—Mamá, enhorabuena. En ocho meses, día más o día menos, vas a ser abuela.

Ha girado su cabeza hacia mí, y abriendo los ojos un poco más de lo que tiene por costumbre, me ha soltado una frase cariñosísima.

—No me hace ninguna ilusión.

No obstante, a los pocos segundos, ha demostrado que todavía hay una ventana abierta en su alma para volver a ser una mujer lo más parecida a lo normal.

—¿Cuándo y cómo te has enterado?

—Lo he sabido hace dos minutos, porque me ha llamado el doctor Bermejo. Y Marisol me lo ha confirmado, al informarme de que este mes no ha tenido el período.

—¿El queeeé?

—El período, Mamá, la regla.

—Mira, hijo. Ninguna marquesa de Sotoancho, y yo soy la séptima, ha tenido el detalle de ordinariez de hablar con su marido del período, la regla y esas porquerías.

Siempre dispuesta a humillar a Marisol, que es natural hablando como una fuente de agua clara. Segunda embestida de mi madre.

—Aunque no me haga ilusión, lo lógico es que yo sea la madrina de ese ser mestizo.

—No es mestizo, Mamá. Marisol es blanca y yo también.

—Es mestizo de clase. Tú eres noble y ella es de familia pobre.

—Lo tuyo no tiene nombre, Mamá. Ha sido Marisol la que me ha dicho que te informara inmediatamente. Y sí, tú serás la madrina de Obdulio o de Vanessa, depende de si es niño o niña.

—¿Cómo has dicho?

Obdulio o Vanessa. Se lo he prometido en el lecho del dolor.

—Cristián, tengo que hablar muy seriamente contigo. Como comprenderás, el futuro marqués de Sotoancho no puede llamarse Obdulio. Y lo de Vanessa es para fusilarla por sucia.

—Mamá, no te acepto ni un insulto más a mi mujer.

—Es una definición. Hablar del período y querer llamar a su hija Vanessa, no deja lugar a la duda. No seré la madrina. Y me iré de casa antes del bautizo. España entera se va a tronchar de risa cuando se entere de que el marqués de Sotoancho tiene un hijo llamado Obdulio o una hija bautizada como Vanessa. Ingresaré en un convento de clausura.

—No te aceptarán por pecadora.

—No te consiento...

—Por pecadora, Mamá. Te olvidas que lo sé todo. Lo de Arturas Markulonis no es recomendable para una novicia.

Golpe en la boca del estómago. Silencio agobiante. Una lágrima a punto de cauce.

—Nunca pude figurarme que me hablarías así, Cristián.

—Ni yo que fueras tan cruel con una mujer que es tu nuera y que no te ha hecho nada.

—Ha usurpado mi lugar.

—Yo soy el que se lo he dado.

—Es muy ordinaria.

—A mí me parece maravillosa.

—Se viste con un descaro intolerable.

—Cosas de los tiempos.

—Y quiere llamar al futuro marqués de Sotoancho, Obdulio.

Ahí he tenido que callarme, porque yo tampoco estoy muy convencido de la conveniencia de llamar así a una criatura inocente, que no tiene culpa de nada y que viene al mundo sin conocer que existe el ridículo. Pero Marisol está empeñada en recordar a su abuelo materno.

—Veo que no puedes rebatir mis argumentos, hijo. Siempre fuiste bastante lento y muy tontito.

Juicio hiriente. Jamás me lo había dicho. Ya sé que no soy Ortega y Gasset, pero oído en boca de una madre, la cosa duele.

—Mejor ser lento y tontito, que rápido y perverso. Y mejor ser un tímido inexperto que una mujer con más horas de vuelo que la KLM.

—Acércate, que te voy a dar una bofetada.

—Me voy, Mamá, espero que recapacites.

• • • •

Mamá es insufrible, pero tiene razón en lo de Obdulio y Vanessa. A mí me encantaría, de tener un hijo, ponerle el nombre de Papá, o sea, Ildefonso, y de ser niña, el de Marisol. Marisol o Soledad, para distinguirlas. Esa Soledad de los versos de tío José María Pemán.

Soledad sabe una copla
que tiene su mismo nombre:
Soledad.

Tres renglones nada más;
tres arroyos de agua amarga
que van, cantando, a la mar.

Copla tronchada, tu verso
primero, ¿dónde estará?

¿Qué jardinerito loco,
con sus tijeras de plata
le cortó al ciprés la punta,
Soledad?

¿Qué ventolera de polvo
se te llevó la veleta,
Soledad?

¿O es que por llegar más pronto,
te viniste sin sombrero,
Soledad?

Y total;
¿Qué más da?
Tres versos. ¿Para qué más?

Si con tres sílabas basta
para decir el vacío
del alma que está sin alma...
¡Soledad!

¡Qué fácil dormir a mi hija con estos versos de agua clara! ¡Qué difícil hacerlo si se llama Vanessa! Tengo que hablar con Tomás, que casi todo lo puede, y pedirle que haga de embajador de la causa. Porque lo de Obdulio es peor que lo de Vanessa. Aquí le sobra razón a mi madre. Un marqués no puede llamarse Obdulio, igual que un rey no duraría ni tres días en el trono con el nombre de Agapito I. Tomás es la solución. Por ahí viene, con el empaque adquirido durante sus años de servicio en esta Casa.

—Tomás...

—Diga el señor.

—Tomás, que no está bien lo que propone la marquesa y me ha hecho jurar ante ti y ante Flora.

—¿Se refiere a lo de Obdulio y Vanessa, señor?

—Me refiero.

—Un juramento es sagrado, señor. La única solución es la de hacer ver a la señora marquesa que bautizar así a unos hijos, no les favorece para la vida.

—Lo malo es que está muy susceptible. Y yo no puedo decirle nada.

—Yo lo intentaría, señor marqués, pero sinceramente, no lo voy a hacer. Gano lo mismo que hace dos años.

—El pasado año te aumenté el sueldo considerablemente, Tomás.

—Puedo intentarlo con algún incentivo económico, señor.

—¿Cuánto, Tomás?

—Lo dejo a su albedrío, señor marqués. También lo haría si el incentivo fuera en especie. Por ejemplo, siempre he soñado con tener un Mercedes.

—Eso no es un incentivo, Tomás. Eso es un chantaje, y si me lo permites, una cabronada como un piano.

—Si usted lo toma por ese lado, señor marqués, retiro lo dicho. Creo que voy a dejar este trabajo. Me han ofrecido el cargo de primer *maître* del Hotel Real de Santander. Si no ordena nada más...

Me ha dejado con la boca abierta. No he sabido reaccionar. Se puede perder a una madre, y a una mujer, y a un hijo, pero no a Tomás. No sabría enfrentarme a la vida sin el apoyo de mi querido mayordomo, tan pedigüeño y aprovechado, tan golfo, pero tan eficiente y leal. Ya viene de vuelta, seco y frío.

—¿Un Mercedes de segunda mano, Tomás?

—A estrenar, señor marqués.

—¿Modelo?

—Gama intermedia. Y con chorraditas.

—Los coches japoneses son muy buenos, Tomás.

—Pero un Mercedes es un Mercedes. No hay negociación, señor. O un «Merche» gama intermedia y con chorraditas, o el próximo marqués de Sotoancho se llamará Obdulio.

—Tomás, eres un delincuente.

—Me temo que así es, señor marqués. Pero tengo la sartén por el mango.

—Déjame pensarlo, chorizo.

—Tiene veinticuatro horas, señor. ¿Una ginebrita?

—Sí, Tomás, muy cargada y con bastante hielo.

—Ahora mismo se la preparo, señor marqués.

El Mercedes

La marquesa viuda de Sotoancho se recluyó en su habitación. Llamó a Flora con siete timbrazos, señal inequívoca de temporal inmediato. Flora que se hallaba en aquel instante cotilleando de amores y requiebros con Ramona, sintió que la sangre se le hacía puré.

—¡Siete timbrazos! Tiene que estar de muy mal humor, Ramona.

—Leche mala con seguridad. Mal le ha sentado lo de Marisol.

—Lo malo, Ramona, es que no tiene arreglo. El señor marqués nos ha dado instrucciones precisas. A partir de ahora, ella es la marquesa dos.

—Sólo muerte arregla.

—¡Tampoco seas así, Ramona!

—Te digo y repito, Flora. Sólo la muerte arregla el cacao este. En Zumárraga decimos que cuando vaca odia a ternera sólo arregla matadero.

—A ver qué quiere...

—Ya puedes llevar casco, por si acaso.

Flora se ajustó el uniforme. También en el uniforme de Flora se apreciaba, sutilmente, que las cosas en La Jaralera habían cambiado. La marquesa viuda tenía establecido que las faldas de las mujeres del servicio no podían dejar ver las rodillas. Pero Flora, que andaba últimamente de hembra depredadora de corazones solitarios, se había atrevido a contravenir las normas. No sólo se le veían las rodillas, sino también el nacimiento redondo y roquídeo de sus muslos. En el corredor de las buganvillas, se topó con Tomás.

—¿Adónde va la causa de mis sufrimientos?

—Déjate de bromas, Tomás. Me ha llamado la señora marquesa con siete timbrazos.

Querrás decir, la señora marquesa viuda.

—Sí... ésa.

—Pues cuando salgas de su cuarto, si es que aún vives, me buscas, que tengo que decirte algo.

—Ya me lo figuro. Y mi respuesta, por ahora, es «no».

—Ya caerás, morena.

—Tomás, no me agobies.

Flora, temblando como un flan, golpeó suavemente la puerta de la habitación temida. La voz que se oyó no era humana.

—¡¡¡Adelante!!!

Con más miedo que recelo, asomó la cabeza.

—¿Desea algo, señora marquesa viuda?

—Yo no soy ésa. Soy la de siempre.

—El señor marqués nos ha prohibido que la tratemos como antes. Nos ha dicho que usted es ahora la marquesa dos.

—Para ti, y muy pronto para todos los demás, soy la de siempre. No te olvides de esto, Flora. Si no me obedeces, te vas a la calle, y lo sentiría mucho. A pesar de tu falta de moral eres una doncella estupenda.

—Dígame, señora...

—Te digo que, aprovechando el embarazo de la impostora, de la presunta marquesa, de la pobre, tienes que vaciar su armario y regalar su ropa a los menesterosos. Va vestida como una guarra.

—Señora, eso no se lo puedo consentir. Es mi señora también, y mi amiga.

—Pues tienes una amiga que se viste como una cerda.

—Se lo voy a contar, señora.

—Y si no cumples con mis órdenes, te relevo de tu responsabilidad. Que a partir de ahora, Elena te supla en el cometido de servirme.

—No sabe el peso que me quita de encima.

—Ya veo que lo malo contagia. Se te ven los muslos, pecadora.

—Yo nunca he tenido relaciones con hombres casados.

La marquesa midió, una vez más, mal sus fuerzas. El escándalo de Arturas Markulonis no se borraba de la memoria de sus sirvientes. Pero su carácter era más fuerte que su pasado.

—Flora, no quiero verte ni un minuto más en esta casa.

A Flora no le impresionó nada la tajante frase de la marquesa viuda. Y se aprovechó de las circunstancias.

—En esta casa mandan el señor marqués y la señora marquesa. ¡Tururú!

Jamás nadie había osado hacerle burlas. La marquesa viuda se incorporó para arrearle a Flora un bastonazo.

—Como me pegue con el bastón, señora marquesa viuda, la descuajeringo.

Aquello no podía ser cierto. La marquesa viuda de Sotoancho, Cristina Belvís de los Gazules Hendings, temida en toda la Baja Andalucía, nunca había padecido de sordera. Y lo que tenía recién oído, superaba con creces lo que su dignidad podía aguantar.

—¡Sal inmediatamente de aquí, blasfema!

Flora abandonó el cuarto de la marquesa viuda con el temor vencido, el recelo olvidado y el orgullo naciente. A renglón seguido, se presentó en el cuarto de los marqueses. Marisol dormitaba.

—Marisol, me acaba de despedir tu suegra.

—Mi suegra manda menos que un gorrión.

—Quería que vaciara tu armario y regalara tu ropa.

—¿Y tú que le has dicho?

—Que tururú.

—¿Tururú?

—Sí, que tururú tururú.

—¿Y cómo ha reaccionado?

—Ha intentado darme un bastonazo, y yo le he advertido que si lo hacía, la machacaba. Con estas palabras.

—¡Qué maravilla, Flora!

—Lo malo es que puede enfadarse el señor marqués.

—El señor marqués daría la mitad de su vida por decirle a su madre lo que tú le has dicho. A partir de ahora, Florilla, estarás conmigo.

—¡Marisol!

Las dos amigas se abrazaron con fuerza. El marqués entró en la habitación y se encontró con el espectáculo.

—¿Qué pasa aquí?

—Siéntate, Cristián. Desde ahora, Flora será mi doncella.

—¿Y Mamá?

—Siéntate, mi amor, que te lo voy a contar todo.

—¿Delante de Flora?

—Por supuesto.

—Pues dale a la húmeda, mi vida.

—Que tu madre llamó a Flora con siete timbrazos y que...

. . . .

Me informa Modesto, el nuevo guarda de La Manchona, que se han establecido en el Guadalmecín dos parejas de cisnes negros, procedentes de Australia. El mundo está tan loco que todo es posible. No creo que hayan volado desde tan lejos. Más probable es que vengan de Inglaterra, que para un cisne más o menos entrenado, está a dos golpes de ala. En el Serpentine de Hyde Park los hay a manta, y son preciosos, arrogantes, malvados y egoístas. Mis patos y garzas deben de estar pasando momentos malos, pero la naturaleza manda. Si han venido, por algo será. Otra cosa es que me traiga de Australia un cargamento de canguros y koalas para despistar a los venados y los cochinos. Los canguros, lo ignoro, pero los koalas vivirían a cuerpo de rey en el eucaliptal de la Marismilla. Eucaliptos enormes, grandiosos. Los plantó mi abuelo para sacar un buen dinero con su madera, pero nunca los taló. Papá tampoco lo hizo, y yo no pienso destruir tanta vida vigorosa y mentolada. No me gustan los eucaliptos, pero así de grandes, resultan fantásticos. Los expertos aseguran que es tanta la clorofila que almacenan sus bosques, que los pájaros, empachados, rehúyen su fronda. El bosque silencioso, verde, sombrío y sin vida. Si me sale bien la remolacha este año, me traigo una decena de koalas. Lo malo es que se mueran del susto si se topan con Mamá. Claro, que hace más de treinta años que Mamá no pasea por la Marismilla, a Dios gracias para la Marismilla.

Bueno, los cisnes negros. Que quiero verlos. Modesto me ha dicho que la mejor hora es durante la amanecida, lo que supone un grave inconveniente. La última vez que madrugué, si mal no recuerdo, fue con motivo de la muerte de Franco, que para Mamá supuso un golpe tremendo cuando se enteró quince años después. Organizó un funeral en la capilla a las nueve de la mañana, en pleno mes de noviembre, con un frío que se metía hasta en las uñas de los pies. Después de aquello prometí no volver a madrugar, y lo he cumplido con creces. Así que voy a bajar al Guadalmecín en el atardecer, y si no veo a los cisnes negros, allá ellos.

—Nada, Modesto. A las siete de la tarde o no hay cisnes.

—Lo que usted mande, señor marqués.

Educado Modesto. Siempre en su sitio, conocedor del campo y casado con la Maruja, que es igual a Sara Montiel sin puro. Vienen de la sierra de Córdoba, donde nacieron y sirvieron en casa de Gamero-Cívico. Me los recomendó Tomás Osborne, y estoy encantado con ellos. Prudentes, secos y poco dados a la charlita. Bastante charlita tengo ya con mi mayordomo.

Me molesta dar mi brazo a torcer, pero no me queda otra opción. Si Tomás valora su gestión ante Marisol en un Mercedes de gama media con chorraditas, no hay vuelta de hoja. Todo menos que se vaya al Real de Santander, y con la cercanía del Promontorio, me lo quite para siempre Emilio Botín. Nada más llegar a casa, he reclamado su presencia.

—Tomás. Lo he pensado bien. Quiero decirte, antes de todo, que me has decepcionado. Eres un canalla. Pero acepto tus condiciones. Ahora, especifica las chorraditas, porque cuestan un dineral.

—Ventanilla superior automática, calientaculos, asientos de cuero, salpicadero de maderas nobles, alarma fotoeléctrica, ventanillas ahumadas, compartimento para guardar los CD, teléfono de manos libres, bocina musical y ordenador de ruta.

—De acuerdo, exceptuando la bocina musical y el ordenador de ruta.

—Se llamará Obdulio, señor marqués.

—De acuerdo, exceptuando el ordenador de ruta.

—Obdulio o Vanessa, señor marqués.

—Totalmente de acuerdo, Tomás. Puedes ir al concesionario cuando quieras.

—Fui ayer, señor marqués.

—¿Cuánto?...

—Ocho millones setecientas cuarenta y seis mil pesetas, matriculación incluida.

—Tomás, eres un auténtico sinvergüenza. No tienes sensibilidad, ni corazón.

—Pero tendré un Mercedes.

—Necesito una copa, Tomás.

—En un pispás se la preparo. ¿Liviana o cargadita?

—Cargadísima.

—Aquí la tiene, señor. *¡Prosit!*

—¡Leches!

—Gracias, señor marqués.

—De nada, hombre. Pero ya puedes empezar a cumplir con tu cometido. El día que Marisol me diga que si es niño se llamará Ildefonso y si es niña Soledad, te firmo el talón.

—Vaya ejercitando la muñeca, señor.

—Y ni una palabra a nadie.

—Por mi santa madre, Josefa, que en gloria esté.

—Yo creía que tu madre se llamaba Juana.

—Por mi santa madre, Juana, que en gloria siga.

—Ni a Flora, Tomás. Dices que lo has comprado con tus ahorros.

—De acuerdo, señor, con mis ahorros, ¡ja, ja, ja!

—Sal de mi campo de visión, Tomás.

—Inmediatamente, señor. Ejercite la muñeca.

—Forajido.

—A sus órdenes, señor.

• • • •

El plan está en marcha. A las siete de la tarde bajaré hasta el Guadalmecín y la albariza de los juncos donde me esperará Modesto para intentar descubrir a las parejas de cisnes negros. Simultáneamente entrará en acción Tomás con Marisol. Lo del Mercedes me parece un abuso inadmisible, pero bien pensado, toda negociación tiene su precio. Además, Tomás me ha rendido servicios de alto rango, y nueve millones de pesetas, una vez en la vida, no son demasiados.

Antes, voy a ver a Mamá, que sigue encerrada en su cuarto. Le he pedido a don Ignacio que la acompañe. Su enfrentamiento con Flora ha tenido que ser morrocotudo, y aunque no lo merece, un hijo siempre es un hijo y debo velar por su sosiego y tranquilidad. Le da un arrechucho, dobla la servilleta, y me quedo el resto de la vida con la conciencia empañada de angustia.

Don Ignacio reza y Mamá simula que hace petit point. Se ha pasado la vida intentándolo, pero no tiene ni paciencia ni tino para bordar.

—¿Otro *petit point*, Mamá?

Me divierte ser irónico.

—¿Has despedido ya a Flora?

—No, Mamá. A partir de ahora servirá a Marisol. Para tus cositas, tendrás a Elena, que tiene aspecto de pía y afanosa.

—Flora no puede seguir en esta casa. Me ha hecho burlas, me ha dicho que «tururú», y además, me ha amenazado con insultos.

—Pero tú, previamente, ibas a proceder a asesinarla con tu bastón.

—Porque ella no es nadie para opinar de mis faltas juveniles. Me ha recordado lo de Arturas Markulonis cuando le he pedido que vacíe el armario de tu mujer, que se viste como una guarra.

—Mamá, no te lo permito. Retira inmediatamente lo que has dicho.

—Don Ignacio me apoya.

—¡Señora!... yo no apoyo tanto.

—Usted, don Ignacio, es un pelota asqueroso.

La situación, tensa como cuerda de arco de mohicano.

—Mamá, ya has oído a don Ignacio. Retira lo dicho. No te apoya.

—Prefiero quedarme a solas.

Don Ignacio y yo hemos abandonado el cuarto de esa endemoniada. Mi obligación, como señor de la casa, comprende también la de animar al clero hospedado.

—Don Ignacio, no se preocupe. Ya pasará la galerna. Si le apetece, acompáñeme a ver los cisnes negros que han llegado de las antípodas.

—No me apetece nada, señor marqués. Oraré hasta la noche.

—Pues ore por mi madre, que se va a condenar. Lucifer tiene que estar frotándose las manos mientras prepara el caldero de Mamá.

—No me extrañaría que el castigo eterno se cerniera sobre su alma. Está insoportable.

—Ya lo sabe, don Ignacio. En la albariza me tiene.

Mis problemas se multiplican. Tengo que ver a los cisnes negros, conseguir que Marisol renuncie a lo de Obdulio y Vanessa, y para colmo, salvar a mi madre de las llamas del infierno. Pesada alforja para un hombre que va a cumplir sesenta y tres años.

Paso obligado y amoroso por nuestra habitación. Marisol está en la cama. Flora a su lado. Se cuentan chismes.

—Flora, si no le molesta, quiero hablar con mi mujer a solas. Está ratificada en su nuevo cargo. Mi madre será atendida por Elena.

—Gracias, señor marqués... Bueno, chiquitina, perdón, señora marquesa, bueno, que me llames, perdón, que me llame, cuando lo desee.

—Gracias a ti, Florilla. Dile a Ramona que suba a verme. Que la echo mucho de menos.

¡Ay, Marisol! Hasta paliducha y débil es la rompiente jaca de mis deseos. Nos hemos abrazado, y así permanecido durante mucho tiempo. Sin decir palabra, transmitiéndonos nuestro amor con el contacto de los cuerpos.

Cuando he creído adivinar un tono violáceo en su rostro, cianótico como consecuencia de la falta de aire, he asumido la conveniencia de separarme un poco de ella.

—¡Ufff! —ha exclamado.

Está divina, con su camisón blanco y su carita de madre expectante.

—Tienes que controlarte, león —me ha dicho, sonriendo con orgullo.

—No puedo, anchoílla. Me sacas de mi dominio.

—Hay que olvidarse del galope durante un tiempo.

—El doctor no ha dicho nada de eso.

—No puede ser bueno para el bebé.

—El bebé está en su casita, y lo nuestro es en el jardín.

Se ha reído con ganas. Tengo que reconocer que soy mucho más ingenioso y divertido de lo que creía. Lo del jardín ha estado muy bien, y tan oportuno, que Marisol me ha indicado que cierre la puerta. Cuando me he vuelto, después de asegurar el pestillo, me la he encontrado tendida sobre la cama, desnuda y con los brazos abiertos.

—Átame, león.

Nunca me lo había pedido. Marisol tiene el morbo muy desarrollado, y cada día me sorprende más.

—Átame con fuerza, mi fiera, y hazme lo que te apetezca.

En el armario he buscado alguna corbata poco afortunada. Siempre pasa. En las Burlington Arcade de Londres, la galería que une Piccadilly Street con Saville Row, están las mejores tiendas de corbatas del mundo. Y es tanta la gula que experimento cuando las elijo, que alguna no celestial suele caer en el lote. Las tengo apartadas pa-

ra regalarlas, pero esta nueva afición de Marisol
va a darles, al fin, un cometido específico y salu-
dable. Una azul con rayas amarillas y otra verde
con escuditos del Harrington School. Marisol está ya atada y bien atada, como España cuando se
murió el Caudillo, aunque duraron poco las ata-
duras. Y sí, sí, sí, vaya que sí. Me he puesto como
una moto y a los pocos minutos estábamos a lo nuestro, que es un asombro, y Marisol gimiendo de
placer y dicha, y yo de jinete bronco, y cuando el
Guadalquivir ha desembocado en el océano de mi
hembra, nos hemos quedado como los osos en primavera después del fornicio, con los ojos semice-
rrados, la boca seca de mojama fresca y los sísto-
les y las diástoles dando más tabarra que los
tambores de Calanda, que una noche vi un re-
portaje en la televisión de esos tambores, y hay
que ver el ruido que forman. Mientras la desata-
ba, Marisol me lo ha dicho.

—Como hoy, nunca, mi amor.

Y me he marchado feliz hacia el Guadalmecín, si bien en el puente de los plumbagos se me
han doblado las piernas de la flojera, y a punto he
estado de caer al río. Maravillosa flojera, debili-
dad pasmada, luz plena. Como Papá cuando volvía de galopar en los atardecielos, después de cumplir la tarde en la Dehesilla, allá donde vivía
Merceditas la viuda, he encendido un cigarrillo,

y sentado sobre el puente, me he llenado los pulmones de vicio, de humo sensual y azulado, y he tenido que cubrir mis recuerdos inmediatos con imágenes inventadas para no verme obligado por la fuerza de la naturaleza a volver a casa, atar a Marisol de nuevo, y poseerla otra vez, hasta el límite más peligroso del cansancio.

Ahí está Modesto. Se me habían olvidado los cisnes negros.

●●●●

Marisol dormitaba. Tomás golpeó la puerta con finura y arte.

—¿Quién es?

—Soy Tomás, mi niña. ¿Puedo pasar?

—Tú puedes pasar siempre.

Tomás se acercó hasta la cama y besó en la frente a Marisol. Ella correspondió su gesto apretando su mano con fuerza.

—Te encuentro mucho mejor, Marisol.

—Todavía estoy en una nube, Tomás.

—¿Te preparo algo?

—Una Coca-Cola, con mucho hielo. Me sentará bien.

—Te la traigo del Polo Norte, si es preciso.

A los cinco minutos, Marisol, apoyada en el cuadrante de hilo, bebía su Coca-Cola.

—Estaba seca, Tomás.

—Más bien lo contrario, mi niña.

—No seas bruto.

—Se te nota a la legua. Bueno habrás dejado al señor marqués.

—Se ha ido, tropezando con todo, a la albariza. Me ha dicho algo de unos cisnes negros.

—Sí, que han llegado de lejos. Modesto dice que de Australia.

—¡Qué exageración! ¿Sabes algo de mi suegra?

—Sigue en su cuarto, haciendo que cose, y con una leche...

—En el fondo, muy en el fondo, la entiendo. Ella lo era todo aquí, y ahora se ve relegada a un segundo plano.

—Pues que se fastidie la tía, mi niña. Tú eres la marquesa de Sotoancho, aunque me tenga que pellizcar cada vez que lo pienso.

—A su edad, Tomás, cualquier cambio es una tragedia.

—Hasta don Ignacio está contra ella.

—Te presiento ansioso, Tomás.

—¿Ansioso yo? ¡Qué tontería, mi niña!

• • • •

El camino desde el puente de los plumbagos al remanso del Guadalmecín ha estallado de jaramagos silvestres. Amarillos fuertes, verdes casi norteños. La lluvia, caída durante el año, ha esponjado la tierra y ayudado a nacer flores nuevas, desconocidas, escondidas durante años y años hasta romper definitivamente. Unos días más de sol decidido, combinado con algún chaparrón, y se vuelven locos los pintores y los poetas.

Modesto me informa de que no están en la albariza de los juncos. En el soto que sombrea al remanso, nos hemos acurrucado. Centenares de garzas y garcillas; un grupo de ánsares, y azulones, cercetas, colorados y porrones moñudos. Fochas y fumareles, un calamón perdido, añil brillante, y una pareja de zampullines divirtiéndose de lo lindo.

Por muy acostumbrado que esté, La Jaralera es un paraíso. Me dice Modesto que esta mañana ha visto tres patos malvasía, nuestro orgullo máximo. Quedan poquísimos, y aquí se pueden ver más que en Doñana.

Algo les ha alarmado. Las garzas no se inmutan, pero las cercetas han levantado el vuelo, y los azulones, que son bastante chulos, se han unido para nadar río abajo. Escapan de algo. Los ánsares, a lo suyo. Menudos son.

Ahí están. De los cuatro que dice haber visto Modesto, dos se acercan en vuelo rasante. Son enormes. Se han posado sobre las aguas, y contonean sus cuellos interminables para advertir que se han acabado las bromas. Ejemplares prodigiosos. Pero se nota a distancia que no son aves de buen carácter. Impresionan por su empaque. Más agresivos y gritones que los cisnes blancos, que tampoco son partidarios de hacer amistad con el prójimo.

Ahí están. Bellísimos y desafiantes. Quizá tengamos la fortuna de que recapaciten, comparen con otros paisajes y resten aquí para siempre. Si ya lo hicieron antes los ánsares y los mandarines, ¿por qué no los cisnes negros de Australia? Lo siento por los demás, pero que se las arreglen como Dios les dé a entender. Yo no puedo estar en todo, ocupándome también de los problemas de los patos.

Además, que bienvenidos sean los problemas si vienen de la belleza arisca e incomparable de estos cisnes negros llegados de la silenciosa llamada de los secretos naturales.

· · · ·

Tomás no estaba ansioso, sino nervioso, que es diferente. Se figuraba al volante de su flamante Mercedes viajando junto a Flora camino de no se sabe dónde. Tenía que hilar fino. La ilusión no podía traicionarle, y sus dotes diplomáticas le exigían más prudencia que nunca.

—Marisol. Si me prometes chitón total, te cuento mis penas.

—¿Tú con penas, Tomás?

—Estoy enamorado hasta las cachas.

—¡Guay, guay, Tomás!

—¡Guau, Guau!

—¿Por qué ladras?

—Porque no me hace ni puñetero caso.

—¿La conozco?

—A tope.

—No será...

—Lo es.

—¿La que era novia del Cigala?

—No me nombres a esa carroña.

—¿La misma que le gustó a mi padre?

—Tu padre no la cató. No la tocó ni un pelo.

—¡Qué puntería!

—¿Cómo dices?

—Nada, nada. ¿La que tiene loco también a Pepillo el jardinero?

—La que te digo.

Sonaron dos golpecitos en la puerta. Se abrió y entró Flora. Marisol no pudo reprimir una carcajada. Tomás, lívido.

—¿La que entra en este momento con cara de despistada?

—¡Por favor, Marisol!

Flora miró a ambos con curiosidad. Las mujeres intuyen cuando se habla de ellas.

—¿Puedo saber de qué hablabais?

—De bobadas, Flora. Que Tomás está preocupado por su alopecia.

—Pues que se ponga una más grande.

—No seas burra, Florilla. Que Tomás está preocupado porque se está quedando calvo.

—Yo no me estoy quedando calvo. Soy calvo. Y no me preocupa. Eso gusta mucho a las mujeres.

—Pues preséntamelas.

—Marisol, ordena a Flora que se vaya. Quiero hablar contigo.

—Yo venía a lo mismo. Dile a Tomás que se marche.

—Ninguno se va. Lo nuestro, ya lo hablaremos, Tomás. Ahora vamos a lo tuyo, Flora.

—Cuando estemos solas, Marisol.

—Entonces, espera a que Tomás termine.

—Pero sin testigos.

—Os doy diez minutos. Cuando vuelva, me toca audiencia.

Tomás, desconfiado, sacó la cabeza al pasillo para confirmar que Flora no escuchaba con la oreja pegada a la puerta. Y volvió a la carga.

—Pues sí, mi niña. Esa que acaba de salir. Me muero por ella.

—Declárate.

—Eso se hacía en el siglo pasado.

—El siglo pasado terminó hace tres meses.

—Me refiero al antepasado.

—A las mujeres nos encanta que un hombre nos diga lo que siente.

—Para abusar de él. Flora ya me ha dicho que de momento, no.

—Si una mujer dice que «de momento no», no es «no».

—Bueno, mi niña. Que eso es una cosa, la otra es que...

• • • •

La marquesa viuda de Sotoancho, enclaustrada en su habitación, impartía las primeras instrucciones a Elena. Una belleza de mujer, castaña clara y algo miope, de poco más de treinta años, pero tímida y mojigata. La pobre ignoraba el peligro que corría.

—Elena, para usted, la única señora marquesa soy yo.

—Lo intentaré, señora.

—Marquesa.

—Señora marquesa.

—No viuda.

—Señora marquesa no viuda.

—Pero no es necesario que digas «señora marquesa no viuda».

—De acuerdo, señora.

—Marquesa.

—Señora marquesa.

—A las diez de la mañana me despiertas con el té con leche preparado. Ramona te preparará la bandeja. A las diez y media, me retirarás la bandeja y me acercarás el solideo de Su Santidad el papa Pío XII, que es el tercero empezando por la izquierda. Los solideos no se lavan nunca, Elena. A las once, me preparas el baño. Tu obligación es la de desnudarme con los ojos cerrados, y llevarme de la mano al cuarto de baño.

—¿Y no me daré algún golpe?

—Te darás muchísimos al principio, pero terminarás dominando el recorrido. Flora, en los primeros días, fue dos veces al hospital. Pero no te preocupes. Cuando termines de bañarme, me secas. Con energía pero sin hacerme daño.

—¿Todavía con los ojos cerrados?

—Exactamente. Ya seca, me ayudarás a ponerme la ropa interior, sin especificar la identidad de cada artilugio. Entonces te podrás marchar a descansar una hora, que es lo que tardo en rezar y terminar de vestirme.

—¿Podré abrir ya los ojos?

—Sí. Con los ojos cerrados de aquí a la cocina te puedes matar. Apunta, Elena. A la una y media, lo que ahora llaman las 13.30, me servirás una copita de oporto. A las 13.40, la segunda copita, y a las 13.50, la tercera y última. Pero nadie puede saber que bebo tres copas.

—Flora lo sabrá.

—Flora no existe. A las dos en punto, la bandeja de la comida, que te preparará también Ramona. A las dos y media, el café y una copita de Armagnac. Algún día, si me he disgustado, repito el Armagnac. Tienes libre hasta las seis de la tarde, que es lo que dura mi cabezadita. Me despiertas, y a las seis y media, rezarás el Santo Rosario conmigo. Normalmente lo hacemos por el hambre en África y los movimientos sísmicos en América. Pero si un tren descarrila, rezaremos también por las víctimas del tren. A las ocho, solía ir al salón, pero como estoy desterrada por la impostora, me quedaré aquí. Aprovecharé esa hora para contarte la vida de los mártires en la Roma de Nerón. A las nueve, una ginebrita con limón, que sólo de cuando en cuando se repite. A las diez en punto la cena, y a las once treinta, me abres la cama, me ayudas a ponerme el camisón y te sientas en esa butaca hasta que me duerma. Ésas son tus obligaciones.

—¿Para ayudarla a ponerse el camisón tengo que...?

—Sí, cerrar los ojos. Pero es más fácil. Y cuando esté dormida, ya puedes hacer lo que quieras, siempre que no atente contra la moral.

—Intentaré no defraudarla, señora.

—Marquesa.

—Señora marquesa.

—Y recuerda, no viuda.

—No, nada de viuda.

—Aunque lo sea.

—Que lo es, señora marquesa.

—Pues ya lo sabes, Elena. Y a Flora no hace falta que la saludes ni hables con ella. Murió ayer.

—Lo que usted diga.

—Dicho está. A las nueve, la ginebrita con limón.

—A las nueve, señora... marquesa.

• • • •

Tomás, al fin, estaba decidido.

—Marisol, una cosita...

—Dime, Tomás.

—Que me da en las narices que el señor marqués, que te adora, y que se muere por ti, y que es capaz de todo por complacerte, no termina de entender lo de Obdulio y Vanessa.

—Ya se lo he explicado. Obdulio, por mi abuelo materno, y Vanessa, por mi amiga muerta.

—Pero entiende que estas familias tan enraizadas tienen sus normas y costumbres.

—Las normas se rompen.

—Pero no tanto. El señor marqués, tu marido, está dispuesto a todo, pero por complacerte puede hacer el ridículo.

—Ridículo... ¿por qué?

—Porque sí. Tus hijos serán más parecidos a él que a ti. Eso se mama, mi niña. Y lo de Obdulio, reconócemelo, es un caprichito.

—Todo menos que se llame Ildefonso, que me horroriza.

—Pero así se han llamado tres marqueses de Sotoancho. Entre ellos, sin ir más lejos, tu suegro, que en paz descanse.

—¿Y si es niña, por qué no Vanessa?

—Porque la ilusión de tu marido es que se llame como tú. Y como él no admite otra Marisol en su vida, ni en el mundo, quiere llamarla Soledad, que es precioso.

—Es triste.

—Pero romántico y con prestigio. Doña Soledad es mejor que doña Vanessa, por mucho que te empeñes en lo contrario.

Marisol hizo un gesto que Tomás interpretó de petición de pensamiento. Pero como de tonta no tiene un pelo, intentó acorralar a su amigo y mayordomo.

—¿Me lo dices de verdad o hay pastita de por medio?

—Te lo digo con el corazón en la mano, mi niña.

—¿No hay complot?

—No sé lo que es eso.

91

—De acuerdo, lo pensaré. La verdad es que lo de Obdulio puede ser muy fuerte para esta familia que ya es la mía. Pero lo de Vanessa...

—Vanessa no es nombre de duquesío, ni de marquesío, ni de condesío, mi niña.

—Pero es el nombre de mi mejor amiga.

—Eso no cuenta. Adáptate a tu nueva situación, Marisol.

—No me tortures más, Tomás. Te juro por mi madre que lo pensaré. ¿No hay dinerito en pago, Tomás?

—Sólo cariño y sentido de lo que significa esta Casa, Marisol.

—Lo pensaré, Tomás, lo pensaré...

• • • •

Marisol está recuperada, sana y fuerte. El doctor le ha dicho que puede hacer vida normal. Ya tiene cita concertada con el ginecólogo y quiere aprovechar su visita a Sevilla para ver a su padre, el bueno de Lucas, y darle el notición. A las doce la espera el doctor Belzunce, y a la una ha quedado con Lucas en una cafetería. Le he sugerido que reserve una mesa en Oriza o en El Burladero, pero esta gente es así. Una cafetería les parece lo más. Manolo ha preparado el Bentley.

—Cristián, me parece mucho para mí.

—Mi amor. Es tu coche. Vuelve pronto. Y un abrazo a tu padre.

Ya se han ido. Tomás, con urgencias.

—Señor marqués. Ayer la dejé casi convencida. Además, he llamado a Lucas y me ha prometido su ayuda. También a Lucas le ha sonado a muy peregrino lo de Obdulio y Vanessa. Para colmo, me ha dicho que Obdulio, su suegro, era un canalla que pegaba a su mujer.

—Más a nuestro favor, Tomás.

—El Mercedes más cerca, señor.

—Ojalá que el día que lo estrenes se pinchen las cuatro ruedas.

—Gracias, señor.

—De nada, Tomás.

• • • •

Elena me ha anunciado que mi madre comerá en su cuarto. Que lo haga. Ya se aburrirá. No obstante, y jugándose el pellejo, me ha chivado lo de las copitas de oporto, de Armagnac y de ginebra con limón. Me he quedado de piedra, porque yo creía que Mamá era abstemia. Flora me lo ha confirmado.

—Se las agarra de campeonato, señor marqués.

En menos de tres meses, todo su prestigio se ha ido al garete. Primero se hace la muerta para impedir mi boda con mi recordada Marsa. Después me entero de su juventud alocada y su lío con Arturas Markulonis, y ahora, para rematar la faena, resulta que bebe más que Boris Yeltsin. Me guardaré el secreto como estrategia para el futuro. Sólo, y con la voz muy controlada, se lo he contado a Tomás.

—Señor marqués, que la señora marquesa viuda le da al tarro lo sabíamos todos, menos usted.

En esta casa no hay comunicación, según he comprobado una vez más. En el pasillo me he topado con Elena, que salía del cuarto de mi madre.

—¿Cuántas lleva, Elena?

—Hoy, como está triste, se ha metido cuatro en el cuerpo, señor marqués. Pero ya está comiendo.

—Si no es más que la una...

—Pero dice que la soledad se le hace muy larga, y que va a seguir un horario más europeo.

Esta chica, Elena, me cae muy bien. Tímida, trabajadora y atractiva. Le falta un poco más de carácter y decisión, pero tiempo tiene para ello. Según me ha informado Perona, no ha cumplido aún los treinta años.

Esta tarde visitaré al golfo de tío Juan José, que se ha quedado solo esta semana. Su mujer, tía Paquita la Atunera, se ha ido a Barbate con el niño, mi ahijado. A los noventa y cuatro años está de dulce y los laboratorios que hacen las pastillas esas, las Viagra o como se llamen, le han nombrado «Consumidor ejemplar», y un día de éstos vienen al Acebuchal a entregarle una placa. Tienen que ser buenísimas, pero yo no quiero ni probarlas, por si acaso.

Genaro, el vaquero, me ha traído malas noticias. Que las autoridades nos han prohibido vender más vacas. Parece que una de ellas hace cosas raras, y con esto de la moda, han decidido los veterinarios que está loca. La van a sacrificar esta tarde y analizar sus partecillas. Si el resultado es positivo, tendré que cepillarme a todas. Una barbaridad. La gente ya no sabe qué hacer para fastidiar a los que tenemos campo.

Cuando he aparecido por el salón para tomar el aperitivo en compañía de don Ignacio, el bombazo. Tomás, con la novedad.

—La Madre Superiora del Convento de las Beatrices Calzadas, señor marqués.

El Convento de las Beatrices Calzadas es una preciosidad del siglo XVI. No lo he visitado nunca, porque es de clausura, pero los que saben de estas cosas, aseguran que tiene maravillas artísticas. Que si un velázquez, que si un zurbarán, que si un retablo... patatín y patatán. Se dedican a la oración y la vida contemplativa, trabajan un huerto estupendo, encuadernan libros y hacen bordados. Me intriga su llamada. Le rogaré que rece por Mamá, que va derechita al Infierno.

—Buenas tardes, Madre. Soy el marqués de Sotoancho.

—Dios le bendiga, hijo mío.

La conversación, amable y distendida. De improviso, el escopetazo.

—Su madre, señor marqués, nos ha rogado que la aceptemos en el convento, pero yo no termino de entenderlo. ¿Usted cree que tiene vocación?

Mamá dice que soy lento y tontito, pero he aprendido mucho en estos últimos años. Mi respuesta ha sonado rápida y terminante.

—Sí, Madre Superiora. La tiene desde que enviudó.

—Pero don Ignacio, su capellán, no está seguro de ello.

—Ni podrá estarlo. Don Ignacio es el que no tiene vocación.

—No lo sabía, señor marqués.

—Pues ya lo sabe. Es cura para comer mejor.

—¡Vaya, vaya, qué decepción!

—Si a usted le parece bien, Madre Superiora, yo le mando a la novicia, usted la observa durante unos días, y se la queda o me la devuelve según su decisión.

—No sé... Ella parece muy ilusionada.

—Y además tiene una colección de solideos papales única en el mundo. Se la llevará consigo.

—Bueno, señor marqués, no sé... que venga. Hablaré con ella. A las personas llamadas por Dios se les nota inmediatamente la luz.

—Mi madre deja a oscuras a la Sevillana de Electricidad.

—De acuerdo, hijo, que venga. Ya le contaré.

—Buenas tardes, Madre Superiora. Se llevan a una santita.

Tiemblo de la ilusión. Mi madre, para no sufrir la humillación de ser la marquesa dos, ha decidido enclaustrarse. Lo siento por las Beatrices Calzadas, que van a convivir con el Demonio, pero a lo mejor se produce el milagro. A don Ignacio casi se le cae el vaso de vino cuando le he informado.

—Padre, que Mamá quiere ingresar en las Beatrices Calzadas.

—¡Coño!

—Eso mismo, don Ignacio. Y haga usted el favor de ser más discreto. La Madre Superiora ha hablado con usted y no está convencida de la vocación de mi madre.

Me he limitado a decir lo que pienso.

—Pues si quiere seguir aquí, cambie de estrategia. Figúrese, don Ignacio, lo que sería La Jaralera sin Mamá.

—El Paraíso Terrenal, señor marqués.

—Sin Adán, sin Eva y sin manzana.

—Una maravilla, Cristián. ¿Y yo me quedaría?

—Claro, don Ignacio. Usted es ya de esta Casa.

· · · ·

Como si nada, haciéndome el distraído, he esperado a que Mamá estuviese dormida, para hacerle una visita. Me gusta fastidiar. La he despertado con un alarido.

—¡¡¡Hola, Mammmá!!!

—¿Qué pasa, qué pasa, Dios Mío?

—No pasa nada, que quería saber cómo te encuentras.

—Ahora fatal. Me has despertado con un susto. Eres un imbécil, Susú.

—Estabas roncando.

—Yo no ronco.

—Es extraño que ronques tan fuerte cuando respiras tan bien.

—Quizás un soplido chiquitín.

—Nada de soplido chiquitín. Un ronquido de siesta de mayoral.

—Tendré mal las vías respiratorias.

—¿Has tomado algo antes o después de comer?

—Nada, nada, ya sabes que odio el alcohol.

—Claro que lo sé. Por eso me extraña que este cuarto huela igual que la Venta del Pichas.

—No soporto tus ordinarieces. Y este cuarto no huele a nada.

—A tugurio cerrado. A Piano Bar.

—Déjame tranquila, que necesito dormir.

—Le diré a Elena que venga a abrirte las ventanas. Después hablaremos. Buena siesta, Mamá.

—Que te pudras, majadero.

¡Pobres Beatrices Calzadas! Esperan a un alma de Dios y se van a encontrar con una demonia borracha. Ardo en deseos de contárselo a Marisol. No se lo va a creer. Bravo por Elena, que se ha atrevido a romper este secreto ancestral. Ahora mismo le ordeno a Perona que aumente el sueldo a esta agradable fámula. Llamadita a Administración.

—Perona.

—¿Señor marqués?

—¿Cuánto gana Elena, la doncella nueva de mi madre?

—Ciento diez mil netas al mes.

—A partir de ahora, ciento setenta y cinco.

—¿Y por qué, señor marqués?

—Porque me da la gana. Adiós, Perona.

La santa novicia

Marisol ha vuelto de Sevilla. El doctor Belzunce ha sido categórico.

—Está usted de ocho semanas.

Ahora que recuerdo, hace ocho semanas estábamos aún en las islas Roques, luchando contra los tiburones y los meros. Una noche, antes del ataque del malvado escualo, hicimos el amor en la playa. Me dio un poco de vergüenza porque no perdió detalle una tortuga que nos miraba con mucho interés. Eran días felices de libertad absoluta y risas abiertas, y en pleno trance, obsesionado por la observación de la tortuga, le recité un pareado a Marisol que casi nos mata de la risa. «Si me mira una tortuga / el pitilín se me arruga.»

Habíamos cenado. Marisol no perdió la oportunidad de tragarse unos cuantos bebercios de ron, y yo, para no quedarme atrás, le pegué a las caipiriñas. Después anduvimos por la playa agarrados de la mano, seguramente para sostenernos el uno al otro. Luna llena y noche clara. Casi me infarto del susto que me produjo un mono que enredaba por allí sin respeto a los huéspedes. Con los monos pasa que nunca te los esperas, y cuando estás más tranquilo, te lanzan un coco a la cabeza. Aquel mono no me tiró ningún coco porque no lo encontró, pero me dedicó muecas desagradables. A Marisol no le importó el mono y se reía de mis prevenciones. Cuando el primate se marchó aburrido, mi niña ya estaba corita y calata. Se había desnudado sin rebozos, y me pedía marcha. Entonces se me vino la sangre adonde el viento ruge y la monté como Papá hacía con la *Ronquita*, de la nada al galope. En ésas estábamos cuando apareció la tortuga. Pero yo creo que no le dio tiempo a interrumpir la primera descarga de vida, porque Marisol ya había gemido de hembrerío gozado y a nuestro alrededor se oyeron las protestas de los guacamayos y los tucanes, tan cuidadosos en sus horas de sueño. Aquella noche, estoy seguro, nació la vida de nuestro hijo.

—¿Y te ha dicho si es niño o niña?

Muy pronto lo sabremos, mi amor. Pero no te preocupes. Lo he hablado con mi padre. Si es niño, se llamará Ildefonso, y si es niña, Soledad. Tenías razón, Cristián. Lo de Obdulio no tiene seriedad en este caso. Y lo de Vanessa, era un caprichito.

Nos hemos abrazado. Poco a poco entran las cosas, y a Marisol le ha sobrevenido un impulso de marquesío. Todavía pegados el uno al otro le he soltado la bomba.

—Mamá se mete monja.

Y Marisol, la octava marquesa de Sotoancho, espontáneamente, con alarido agudo, ha soltado un grito neutro que me ha complacido por su criterio y serenidad.

—¡Coñe!

• • • •

Mamá está dispuesta. Como ya es novicia, humilde de toda humildad, le he ordenado a Manolo el chófer que la lleve hasta el convento en la furgoneta «Cuatro latas». Además, que no se ponga la gorra reglamentaria, sino una especie de visera de reventa de plaza de pueblo que le viene al pelo, porque Manolo tiene pinta de reventa de segunda.

Mamá con el equipaje en la puerta.

—No creo que te admitan con tantas maletas. Parece que vas a Londres.

—Me llevo la muda para un mes.

—En el convento no hay mudas. Te dan un hábito, y cuando hay olorcillo, lo lavas y ya está.

—Como novicia tengo derecho a usar mi ropa.

—¿Te llevas los solideos?

—Todos, menos el de Pablo VI, que era rojo.

—Ya sabes, Mamá, que ésta es tu casa. Cuando te aburras de rezar de verdad y no tengas a mano una copita de oporto, vuelves y santas pascuas.

—Ingreso en el convento para morir allí. Dios me espera.

—Me temo, Mamá, que Dios tiene mejores citas.

—No me ofendes, ex hijo mío. A partir de ahora, debes dejar de decirme «Mamá», y dirigirte a mí con el nombre que he adoptado para mi última estancia en la tierra. «Cristina de Calcuta.»

—Tú nunca has estado en Calcuta, Mamá.

—Pero sí en el espíritu. Olvídate de mí. Soy la novicia Cristina de Calcuta. Saluda a tu pelada y apurada esposa de mi parte. Y que don Ignacio rece por él, antes que por mí. Adiós ex hijo mío. Cuando te arrepientas de todo el mal que me has hecho, acude a mi tumba entre los cipreses egipciacos que ofrecen sombra a las madres Beatrices. ¡Manolo!

—¿Diga, señora marquesa viuda?

—¡Cristina de Calcuta!

—¿Diga, hermana Cristina de Calcuta?

—¡¡En marcha!!

—Un momentito, que Elena le trae el cuadrante.

103

—Eso sí, no me voy sin mi cuadrante.

—Y las medicinas...

—Claro...

—Y...

—¡¡¡Manolo!!!

—¿Señora marquesa viuda?

—¡¡A las Beatrices!!

—¿No se despide de su hijo, el señor marqués?

—¡Jamás! Yo ya no pertenezco a esta casa pecadora.

Mamá se ha metido en el «Cuatro latas» con asco. Huele a pollo. El olor a pollo es tremendo. La conozco tan bien que ya está arrepentida del lío que ha formado. Don Ignacio, listísimo, se ha excusado de estar en la despedida por motivos gastrointestinales. Cuando el «Cuatro latas» estaba ya en marcha, Mamá ha ordenado a Manolo que mantenga el motor en punto muerto y saliendo del coche nos ha bendecido.

«Parturiunt montes, nascetur ridiculus mus» (Paren los montes, pero nacerá un ridículo ratón).

Y Marisol, que asistía desde la galería al acto ha gritado.

—¡Mejor un ratón que una víbora!

Entonces la víbora, la novicia Cristina de Calcuta, se ha dirigido a Marisol y le ha hecho un corte de mangas.

—Adelante, Manolo.

Y el «Cuatro latas» conducido por Manolo, se ha llevado de esta casa a Cristina Belvís de los Gazules Hendings, marquesa viuda de Sotoancho, ahora novicia Cristina de Calcuta sin haber estado jamás en Calcuta... ¡Mamá!

••••

Reluciente sol. Primer día sin Mamá en La Jaralera. Los pajarillos, como más confiados y cantarines. Para no despertar a mi nenúfar, he desayunado en el comedor.

Tomás triunfante. Ha quedado esta tarde para recoger su coche. Pero la mañana ha amanecido tan de dulce, que no me ha importado su ataque.

—Señor marqués. Esta tarde, si no se produce un terremoto, me dan el coche.

—Me alegro, Tomás. Mi más cordial enhorabuena.

—Mi más honda gratitud, señor. Le decía que me lo dan, siempre que previamente lo pague.

—Te lo has ganado, granuja. Tráeme del despacho el libro de cheques.

—Me sorprende su poca resistencia, señor marqués.

—Hoy es un día feliz. Mamá es novicia y no ha dormido aquí.

—No creo que dure mucho la alegría, señor.

—Yo tampoco, pero mientras hay vida, queda esperanza.

—En un segundo le traigo el talonario.

Un segundo para Tomás es más corto que para el resto de la humanidad cuando persigue algo en su beneficio. No me ha dado tiempo de beber ni el primer sorbito.

—¿Cuánto, Tomás?

—En total, y me da un poco de corte, señor... Es más de lo que...

—¿Cuánto?

—Un poquillo de corte, sí, en total, señor marqués, son nueve millones setecientas cuarenta y seis mil trescientas diecisiete pesetas.

—¿Y eso cuesta un gama media?

—Con chorraditas, sí señor.

—¿Y esas diecisiete pesetas?

—Como dicen los políticos, los flecos de la negociación.

—Bueno, te hago el talón por 9.746.300 pesetas. Las 17 restantes las pones tú. Me da pereza hacer un talón tan largo.

—Entonces será un Mercedes, comprado a medias, señor.

—Exacto. En la vida hay que ganarse los premios. Tu talón, canalla. Agárralo antes de que me arrepienta.

—Muchísimas gracias, señor. Yo pongo las 17 pesetas restantes. No se preocupe.

—Y ni una palabra a Marisol, Tomás.

—Ni media. Se llevaría un disgusto.

Ahí se va el mayor sinvergüenza de España, mi gran amigo y ayudante. Es capaz de recordarme lo de las 17 pesetas durante años y años. Bollito de leche bien mojadito en el café, café engullido, y cigarrillo. No me cambio por nadie. Elena ha entrado en el comedor. Guapísima mujer.

—Señor marqués, si no le molesto...

—Usted no molesta nunca, Elena.

—Gracias, señor. Que quería decirle, que en vista del ingreso de la señora marquesa viuda...

—De la novicia Cristina de Calcuta, Elena.

—Sí claro, de la novicia Cristina de Calcuta en el convento de las Beatrices Calzadas, mis funciones en esta casa han desaparecido por completo. Y yo no me quiero ir de aquí, señor.

—Tranquila, Elena. De aquí no se va nadie. Lo malo es que la novicia Cristina de Calcuta puede volver. Mientras tanto, y ya lo hablaré con mi mujer, la señora marquesa, disfrute del campo. Pronto tendrá un nuevo cometido.

—Muchas gracias, señor.

—Le recomiendo, Elena, un paseíto por la Albariza de los Juncos, el lago, el Guadalmecín y la Dehesilla. Se va a quedar turulata.

—Mil gracias, señor. Que Dios se lo pague.

—Ya me lo ha pagado llevándose a mi madre.

—Que se lo pague durante mucho tiempo.

—Eso, Elena, que te haga caso.

Estupenda chica. Educadísima, limpia y espectacular. Ahora miro a las mujeres de diferente manera. Buena jaca de galope, esta Elena rubia y espigada, que más parece norteña que de Cuenca, su lugar de origen. ¡Huyyy, don Ignacio!, aquí llega, con carita de sueño. Se nota que Mamá no le ha despertado para rezar sus cositas.

—Buenos días, don Ignacio.

—Buenísimos, Cristián. Me pellizco y sigo sin creérmelo. Su madre no está.

—En efecto. Cristina de Calcuta no ha dado señales de vida.

—Aunque pueda parecer impertinente, maravilloso, Cristián.

—Es impertinente, pero también maravilloso, don Ignacio.

He dejado al capellán empachándose de bollos de leche. Este hombre come una barbaridad. Ahora que le he tomado simpatía, me molestaría que le diera un tantarantán.

Otro cigarrillo. Me voy a tragar el humo hasta las uñas de los pies.

Y como Mamá no está, voy a hacer una travesura. Me quito los pantalones del pijama y me

los pongo de turbante. Despertaré así a Marisol.
¡Viva la libertad!

• • • •

Mientras tanto, en el convento de las Beatrices Calzadas, la situación no era difícil, pero sí
confusa. La aspirante octogenaria había pasado
su primera noche de postulanta en su celda, y se
estaba quejando a la Superiora, sor Lucila de la
Transfiguración.

—En mi celda no hay calefacción.

—En ninguna, Cristina. No hay calefacción
en todo el convento.

—Ni respeto por las ancianas. A las cinco de
la mañana me han despertado.

—Para Maitines, Cristina.

—Y a las siete, otra vez.

—Es dura la vida contemplativa, hija mía.
Creo que deberías volver a tu casa.

—De ninguna manera, sor Lucila. Yo muero
en este convento.

—Entonces tendrá que acostumbrarse a sus
rigores.

• • • •

Cuando se gastan bromas divertidas, hay que ser cuidadoso. Yo no lo he sido. Con la bata recogida en mi brazo izquierdo, he llegado hasta los aledaños de mi habitación. Allí, en el pasillo, me he quitado los pantalones del pijama y me los he anudado a la cabeza. Marisol se iba a llevar una sorpresa de aúpa. Pero la sorpresa ha sido para mí. Cuando estaba a punto de entrar en el cuarto, vestido de esa guisa tan traviesa, han aparecido por el fondo del pasillo Flora y Elena. Ambas han gritado espantadas y huido de mí despavoridas, como si fuese un sádico. Sobre todo Elena, que ha tropezado y caído, y cuando me disponía a ayudarla casi se desmaya del susto. Superado el primer agobio, Flora me ha mirado con distancia.

—Nunca creí que usted fuera capaz de esto, señor marqués.

—Le iba a dar una sorpresa a mi mujer.

—Pues como ya no hay sorpresa posible, tanto Elena como yo le agradeceríamos que se pusiera los pantalones.

En efecto, mi aspecto resultaba chocante. Con sumo cuidado, he desanudado el turbante de mi cabeza, y muy pudorosamente, me he cubierto la mitad inferior de mi cuerpo. Marisol, con los gritos, despierta.

—¿Qué ha pasado, mi amor?

—Nada, nada, un malentendido.

—¿Y esos alaridos?

—Que se ha colado un búho esta noche y ha asustado a Flora y a Elena.

—Es que los búhos dan mucho miedo. Miran una barbaridad.

—Bueno, mi amor, que me voy a dar un bañito.

—Eso, eso, que limpio me gustas más.

Todavía no me he repuesto de la vergüenza. Ya con el patito de goma, en plena inmersión, la voz de mi media costilla.

—He pensado una cosa, Cristián.

—Será estupenda, mi amor.

—Que Elena se ha quedado sin obligaciones, y como estudió Magisterio, podríamos abrir de nuevo la escuela de La Jaralera. Así ayudaríamos a los niños a hacer los deberes después del colegio.

—Me parece de perlas. Y las clases. ¿Quién las da?

—Yo puedo ayudarles en matemáticas, y Elena y don Ignacio en las demás materias.

—Hecho, mi vida. Escuela abierta.

—Gracias, mi amor.

• • • •

Sor Lucila de la Transfiguración reparó en un detalle durante el frugal refectorio. La aspirante a novicia, de cuando en cuando, aprovechaba la distracción de la comunidad para llevarse un tarrito a la boca.

—¿Le pasa algo, Cristina?

—Nada, sor Lucila. Que tengo que tomar este jarabe para el asma.

—Hágalo sin esconderse, hija, que eso no es falta ni pecado.

—No quería molestar al resto de las hermanas.

—No es molestia. Pero si padece de asma, llamaremos a nuestro médico, que además de un santo, es un sabio.

—Con el jarabe se me quita, sor Lucila.

—De acuerdo, pero si empeora, me lo dice.

Con la color como una flor de flamboyán, Cristina de Calcuta se acomodó bajo la faja su frasquito de jarabe de los famosos laboratorios Beefeater's.

Y continuó comiendo la sana menestra de verduras de sor Victoria de Oyarzun, la hermana cocinera.

• • • •

Todavía humillado por mi espectáculo gratuito ante Flora y Elena, he llamado a tío Juan José. Tengo que comunicarle la buena nueva de mi heredero y el ingreso de mi madre en el convento de las Beatrices Calzadas. Pero en esta tierra los rumores vuelan como los zorzales, y tío Juan José estaba enterado de todo.

—Enhorabuena, sobrino. Por fin has cumplido.

—Gracias, tío. Me encantaría verte.

—Aquí me tienes en casa. Llevo una temporada sin salir por culpa de un catarro mal curado.

—A tu edad, un catarro es más peligroso que una vaca loca.

—Te noto muy gracioso, Cristián.

—¿Y tía Paquita?

—En Barbate. Se ha llevado al niño y estoy en la gloria. No te puedes figurar lo pesado que llega a ser un niño.

—Te habrás enterado ya de lo de Mamá.

—Sí, pero no cantes victoria. A esa diabla te la devuelven en menos que canta un gallo.

—Si quieres, voy a verte por la tarde.

—Al revés. Quiero ver con mis propios ojos a una tal Elena que me han dicho que está estupenda.

—Tío, tiene 30 años y tú estás casado.

—Me importa un huevo, Cristián. A las cinco en punto estaré en La Jaralera.

No cambia tío Juan José. Es el hembrero de cumbre más alta que he conocido en mi vida. Pero siempre me he llevado con él de maravilla, y me hace mucha gracia su resistencia a dejar de ser un toro. No obstante, he requerido la presencia de Elena, para advertirla del peligro que corre. Sigue

113

cohibida. Presiento que tiene un concepto equivocado de mi persona, después de sorprenderme
con los pantalones del pijama haciendo de turbante.

—Elena...

—Señor marqués...

—Lo de los pantalones era una broma para
sorprender a mi mujer.

—Lo entiendo, señor, pero...

—No sabía que estuvierais por ahí Flora y tú.

—Pero estábamos. Nunca había visto a un
hombre desnudo de cintura para abajo.

—¿Y qué tal?

—Mal, señor. Feo y repelente.

—Olvídate del suceso. Y no es feo ni repelente.

—Usted dirá, señor.

—Que esta tarde viene a visitarme mi tío Juan
José, que es un canalla con las mujeres, que está
casado y tiene un hijo, y que tiene especial interés por conocerte.

—Ya me ha dicho Flora que es muy simpático.

—Y muy golfo.

—Gracias por advertírmelo, señor. Pero después de ver lo que he visto, yo virgen hasta la
muerte.

• • • •

Me molesta la mala impresión que ha sacado
Elena de mi travesura. Y me hiere su poco senti-

do de la estética. En fin, ya la he advertido. Ella es mayorcita para saber lo que hace.

—Elena ¿le ha contado mi mujer lo de la escuela?

—Sí, señor. Y me encanta. Estudié Magisterio.

—Ya he mandado que limpien y arreglen el local.

—¿Cuántos niños hay en La Jaralera?

—A mí me parecen dos mil, pero creo que son catorce.

—Me ha parecido una idea estupenda. Así les ayudamos a hacer los deberes.

—Pues ya lo sabe, Elena. A empezar cuanto antes. Y olvídese de lo del pijama.

—No creo que pueda, señor.

—Inténtelo. Y cuidadito con mi tío.

—Sabré defenderme, señor. Muchas gracias.

Chica seria, quizá demasiado. Tomás me dice que ya tengo preparado el aperitivo. Lo tomaré con don Ignacio. Antes, un beso a Marisol. Está con Flora.

—Cristián, me ha contado Flora lo de tu exhibicionismo. No me ha hecho ninguna gracia.

—Fue una mala casualidad. Pensaba hacerte una broma.

—No estoy para este tipo de bromas. Entras en mi cuarto con los pantalones del pijama en la cabeza, y del susto, aborto.

—Tampoco exageres...

—Y creo que Elena está muy disgustada.

—Ya lo he arreglado con ella.

—Espero que no se repita la escena, Cristián.

—Te lo prometo, mi vida.

—Y ahora déjame con Flora, que estamos hablando de cosas de mujeres.

—Te espero en el salón. Estaré con don Ignacio.

—Ya veré si bajo.

Muy antipática. Flora le habrá contado el suceso con todos los detalles, y Marisol es muy celosa. No me siento cómodo con el acontecimiento. Pero don Ignacio sabrá comprender mi jugarreta.

—Don Ignacio, ya veo que se ha servido su finito.

—Sorbitos de oro, Cristián.

Tomás, siempre preciso, con la ginebrita preparada.

—Recuerde, señor, que esta tarde la tengo libre.

—Lo recuerdo perfectamente. Viene a verme tío Juan José y cuando se vaya me daré una vuelta con la escopeta.

—¿La señora marquesa bajará al comedor?

—Creo que sí. Estaba hablando con Flora de cosas de mujeres.

—Con el Mercedes, me la trajino.

—Flora no es de ésas, Tomás.

—Flora es como todas, señor marqués.

—Otra ginebrita, Tomás.

—Se ha bebido la primera muy deprisa. Va a terminar como su...

—No sigas, Tomás. Como Cristina de Calcuta.

—Esa misma, señor marqués.

—Y vosotros sin decirme nada. También usted, don Ignacio.

—Delante de mí, no bebía, Cristián.

—Pero detrás de usted sí, y lo sabía.

—La verdad, es que más de una noche, al rezar el Santo Rosario, pasaba de los Gozosos a los Dolorosos con mucha facilidad.

—Muy duro para un hijo enterarse tan tarde.

—En el convento, Cristián, se curará. Ahí no se bebe.

—No me fiaría, don Ignacio. Cristina de Calcuta es capaz de todo.

—También es verdad.

• • • •

La responsabilidad impone, a veces, grandes sacrificios. A Churchill le despertaron a las tres de la madrugada en plena batalla de Inglaterra para decirle que sus aviadores habían tumbado a unos cuantos aviones alemanes. Gajes de los estadistas. A mí me han chafado hoy la siesta. A las 5 viene tío Juan José, y había pensado echar una cabezadita, pero me han pedido audiencia Genaro el vaquero y el jardinero Pepillo. El Estado ante todo y el deber por encima de cualquier inclinación.

La entrevista con Genaro, rápida y beneficiosa. Han analizado a la vaca que hacía cosas raras y de loca, nada. Lo más, vaca juguetona. No hay que sacrificar a las demás. La verdad es que llevo casi 63 años viviendo en La Jaralera, y hasta que Genaro acudió a decirme lo de las sospechas de la enfermedad, no me había apercibido de la cantidad de vacas que tengo.

Perona, el administrador, me ha recomendado que ponga cerdos en la dehesa. Está subiendo su cotización como la espuma. Y he comprado treinta verracos y unas doscientas cerdas. Para ocuparse de sus ajetreos he contratado a un porquero, Luismi, que no le pega nada llamarse Luismi, porque tiene una cara de cerdo que se la pisa. Está bien entre ellos, porque Luismi es uno más y no desentona. Me ha dicho Genaro que ya han parido algunas madres y que mi cabaña porcina crece adecuadamente.

Pepillo, tan discreto siempre, me ha venido con una queja. Que Tomás intenta seducir a Flora, por la que es capaz de quitarse la vida. Esta Flora vuelve tarumba a todos. Al Cigala que sigue en el Tercio, y según he sabido, ha aprobado el cursillo de Cabo. A Tomás, a Lucas mi suegro, ahora a Pepillo... Le he dicho que no puedo meterme en asuntos de amores, que luche por su pasión, que no decaiga su ánimo. Pero Pepillo se las trae.

—Pero Tomás tiene enchufe con usted, señor.

El amor hace que hasta los témpanos lloren de susceptibilidad. Le he dado mi promesa de señor de la casa.

—Por mi honor, Pepillo, que no haré nada para inclinar la balanza a favor de Tomás.

No se ha marchado muy convencido, pero sí algo más tranquilo. Para suavizar el ambiente le he preguntado por las flores de primavera y verano, recordándole la prohibición vigente de plantar geranios. Por fin me ha dejado, pero son ya las cinco menos cuarto. En quince minutos, el tarambana de tío Juan José.

• • • •

Sor Toribia de la Postración, la ecónoma del Convento de las Beatrices Calzadas, dormitaba junto a la alacena. Se colaba por la cimera ventana del corredor un rayito de sol muy tibio y agradable, y Sor Toribia se dejaba acariciar por él mientras los sueños la llevaban a los días de su infancia y juventud, allá en su pueblo burgalés, Bahabón de Esgueva. Se veía con sus trenzas de niña de pueblo, sus lacitos de domingo frío, sus dolorosos sabañones. Algo devolvió a sor Toribia a los tiempos actuales. Un ruido. La puerta de la despensa estaba entreabierta.

Sor Toribia, padecía de varices y sufrió al incorporarse. Llegó hasta la despensa y abrió por completo la puerta. Encaramada a un taburete se hallaba la postulanta a novicia, que intentaba afanar de la estantería una caja de galletas. El padre de sor Toribia era guardia civil, y le había transmitido a su hija el sentido de las ordenanzas y la firmeza de sus voces.

—Alto o disparo —gritó con voz seca y mesetaria.

La postulanta a novicia, asustada por el grito y sabiéndose sorprendida con las manos en la masa, perdió pie, lanzó un alarido y se desplomó sobre el suelo de baldosas de la despensa. Unas baldosas muy resistentes, del siglo XVII más o menos. El impacto fue brutal, y la postulanta a novicia perdió el sentido. Sor Toribia asustada, corrió en busca de ayuda mientras se santiguaba con frenesí de culpable.

Minutos después, toda la comunidad de Beatrices Calzadas oraba en torno al camastro de la octogenaria interna.

• • • •

Tomás ausente, recogiendo el coche. Elena distante. Flora silenciosa, don Ignacio dormido, Pepillo celoso, Genaro con las vacas, Luismi con los cerdos, Modesto con los cisnes, Perona con los dineros, Marisol en el cuarto y tío Juan José en la puerta. El timbre.

• • • •

—¡Un abrazo, sobrino!
Ha rejuvenecido. En lugar de 94 años puede pasar por 93. Alto, espigado, sin un gramo de grasa, con la voz tronante y los músculos siempre en tensión. Hemos subido al cuarto de Marisol, que finalmente se ha encamado.
—Hola, sobrinita, mira lo que te trae el tío Juan José.
Marisol ha sonreído mientras tío Juan José la besaba en la frente y le entregaba un paquete de envoltura cara. Como al incorporarse el camisón de mi mujer se ha abierto y dejado ver su prodigioso paisaje de tetas, tío Juan José le ha dado treinta besos más, sin perder ojo.

—Vas a dejarla sin frente, tío.

—Ah, sí, claro, sí.

Mi rosa de Alejandría ha abierto el paquete y exclamado un grito de sorpresa e ilusión.

—¡Lo que más me gusta, tío! ¡Muchas gracias! Dame otro beso.

Y de nuevo la misma operación anterior, hasta llegar a los cuarenta y siete ósculos frontales.

El regalo de tío Juan José no hace falta que lo especifique. Unas braguitas tanga de la marca Evasé.

• • • •

A la velocidad de 185 kilómetros por hora, y a la altura del cortijo Juan Gómez, el que fuera de Carlos Urquijo de Federico, un Mercedes nuevo, de gama media, repleto de chorraditas y conducido por Tomás Miranda Carretón, despegó de la autopista, y tras volar 201 metros sin contratiempo alguno, aterrizó de mala manera sobre un naranjal, quedando prácticamente destrozado. El piloto resultó ileso, y fue conducido por la Guardia Civil al cuartelillo después de pasar por el hospital, donde fue dado de alta. Practicada la prueba de alcoholemia, el piloto del efímero aeroplano de fabricación alemana fue despojado automáticamente de su carné de conducir. Cuando se le permitió abandonar el cuartelillo, conectó con la empresa Grúas La Giralda y posteriormente con un radio-taxi. A las 19 horas y 27 minutos p.m. el piloto ingresaba en La Jaralera con una expresión facial muy poco sugerente para establecer nuevas amistades.

• • • •

A las 19 horas y 30 minutos, Flora salía al jardín para disfrutar de la primavera naciente. Se topó con Tomás, al que notó desajustado de ánimo. Víctima o verdugo de esos extraños impulsos que las mujeres tienen, sin saber por qué lo hacía, Flora se abrazó con fuerza a Tomás, que amparado por el inesperado cariño de Flora, rompió a llorar como un niño.

El calor fluido de las lágrimas de Tomás ablandó aún más el sentimiento de Flora. Bajo el gran magnolio de la recoleta, aún olvidado de sus flores blancas, Tomás y Flora se besaron por primera vez. Fue un beso largo, cálido y rotundo, que derivó en pasión desmesurada. El diálogo que siguió, breve y conciso, abría un horizonte nuevo en aquellas dos vidas abrazadas.

—¿Vamos?

—Vamos.

••••

La postulanta a novicia, la octogenaria incipiente, abrió los ojos y se sintió aterrorizada. ¿Dónde estaba? ¿Qué hacía allí? ¿Quiénes eran todas esas monjas? Le dolía la frente, que se adornaba con un chichón del tamaño de un pomelo. Una de las religiosas presionaba sobre él con un paño húmedo. Se trataba de sor Francisca del Desconcierto, la enfermera de la Comunidad.

—Me está haciendo daño, señora mía.

—Lo hago por su bien, Cristina. Se ha caído de un taburete.

—No tengo ni idea de lo que es un taburete. Y les agradecería a todas ustedes que se presentaran.

—Tiene que descansar, Cristina. Con un poco de reposo, recuperará la conciencia. Ahora, cierre los ojos, rece un Padrenuestro y verá lo bien que se queda.

La aspirante a novicia obedeció como una corderita de Idiazábal. Cerró los ojos y quiso rezar. No pudo. Se le había olvidado.

Con voz muy queda, piano, piano, como la bellota de la coscoja, sor Lucila de la Transfiguración, la superiora de las Beatrices Calzadas, hizo el siguiente comentario a la hermana ecónoma, sor Toribia de la Postración, y a la hermana repostera, sor Juana de la Fidelidad.

—Hay que llamar al doctor urgentemente. Para mí, que la marquesa viuda se ha quedado tontita para siempre. Yo hablaré con su hijo.

. . . .

Elena irrumpió en la habitación de los marqueses. El tío Juan José soltó un rebuzno de admiración y gozo nada más verla.

—Señor marqués, le llama la Superiora del convento.

—Mala señal. Voy ahora mismo. ¿No ha vuelto Tomás?

—Que yo sepa, no.

—¿Y Flora?

—Me dijo que estaría paseando por el jardín.

—Este señor es mi tío Juan José.

—Mucho gusto, señor, para servirle.

—El gusto es mío, vikinga, que pareces una vikinga.

—Es usted muy amable y ocurrente.

—Quédate, niña.

. . . .

Marisol y Elena se han quedado con tío Juan José. He corrido hasta el teléfono. La Superiora, muy alarmada.

—Señor marqués. Su madre se ha pegado un trompazo cuando intentaba hurtar una caja de galletas. Está bien, pero no recuerda nada. Ya hemos avisado al médico, pero yo creo que se ha quedado tontita del todo.

—Eso no es grave, sor Lucila. Manténgame informado. Y por supuesto, todos los gastos corren de mi cuenta. Mañana le envío un talón de cinco millones de pesetas para que no le falte nada ni a mi madre, ni a usted, ni al convento.

—Gracias, señor marqués. Le tendré al corriente.

Don Ignacio, que siempre aparece donde menos se le espera, ha oído la última fase de la charla. Está alarmado.

—¿Nos la devuelven, Cristián?

—Por ahora no, don Ignacio. Se ha dado un morrón en la cabeza, y se ha quedado gilipollas. Mañana irá a visitarla y le entregará a la Superiora un taloncito reparador. Pero que no la muevan. Los golpes en la cabeza hay que tratarlos con esmero.

• • • •

Mientras tanto, Tomás y Flora se recuperaban de su primer galope de sangre hirviente. A Tomás, la verdad, poco le importaba el coche. Flo-

126

ra descansaba la cabeza sobre su torso, y Tomás, por debajo de las sábanas, dibujaba con el dedo pulgar de la mano izquierda figuritas cosquilleantes en el culo de su amada.

—¡Ayy, sinvergüenza!

Era un pelito. Se rieron al unísono y comenzaron un nuevo trote con otra galopada como inmediato objetivo.

• • • •

Marisol asistía divertida al encantamiento de Elena por parte del tío Juan José. ¡Qué hombre invencible! A la nueva marquesa de Sotoancho no le afectaban los prejuicios y las normas estrictas de la supuesta decencia. Tío Juan José, con su voz ronca y macha, miraba a una Elena entre cohibida y halagada, al tiempo que le decía versos de otros.

> *¡Llénate de mí,*
> *Ansíame, agótame, viérteme, sacrifícame,*
> *pídeme, recógeme, contiéneme, ocúltame.*
> *Quiero ser tuyo, Elena, ser tuyo, que es tu hora.*
> *Soy el que pasó saltando sobre las cosas,*
> *el fugante, el doliente.*
> *Pero Elena, siento ya tu hora,*
> *la hora de que mi vida gotee sobre tu alma,*
> *la hora de las ternuras que no derramé nunca,*

la hora de los silencios que no tienen palabras.
Elena, tu hora, alba de sangre que me nutrió de
[angustias,
tu hora, Elena, medianoche que me fue solitaria!

—¡Qué maravilla, tío! ¿Son tuyos?

—Los escribí en colaboración con Pablo Neruda. Sólo son de Elena.

Y Elena, ahí en el rincón del Sorolla, con los ojos brillantes, la luz interesada, la piel sensible, los agobios depositados en la magia de ese anciano loco, que por primera vez en la vida, había descubierto el camino que rompía sus murallas.

Un puñetero y maldito viejo verde, un asco de tío, un hombre como la copa de un pino, un hombre, eso, un hombre...

La marquesa tontita

Dos meses han pasado. Mayo abrilea. Dos días llevamos de lluvias y nieblas. Marisol no mejora y Mamá sigue completamente lela en el convento. Tomás ha superado ya lo del coche, que fue declarado siniestro total por el seguro. Sólo lo había asegurado por daños a terceros y le van a dar una miseria. Pero está feliz y esperanzado. Me ha confesado que las cosas con Flora marchan por el mejor camino. Pepillo, en cambio, tan buen jardinero y hombre, me mira con recelo. Cree que he actuado de mamporrero de Tomás, y que le he puesto la hembra a tiro de flor. Ignora que mi rango me impide ser un Ciutti cualquiera, que de interpretar algún papel, ahora que lo he sentido todo, sería el de don Juan. Las flores han iniciado su vida, pero se las aprecia heridas, como el alma de su jardinero.

Don Ignacio visita a Mamá todos los sábados. Mamá se cree que es su primo Nicolás, que se murió en la Guerra Civil. La verdad es que se ahogó en Biarritz por un corte de digestión. Nada de heroicidades. Me ha contado don Ignacio que Mamá siempre le llama «Pototo», que es como trataban familiarmente al infeliz sumergido. Creo que su última conversación, más o menos, transcurrió así.

—Hola, Pototo. Estás gordísimo.

—Pues he perdido tres kilos, Cristina.

—El rey Alfonso XIII ha inaugurado una plaza de toros en Sigüenza.

—Lo he leído en *ABC*.

—Pototo, no me robes más el ventilador de mi cuarto.

—Te prometo que no lo haré.

—Me encantan las hortalizas.

—Y a mí, Cristina.

—A tía Bibi le ha salido una fístula en el culo.

—Es muy doloroso, Cristina.

—Me encantaría tener hijos, Pototo.

—Y a mí también, pero lo tengo prohibido. Soy sacerdote.

—¿Desde cuándo eres sacerdote, Pototo?

—Desde hace treinta años.

—Bueno, Pototo, vete, que eres un tostón.

El pobre don Ignacio está hasta la coronilla de interpretar al tío Pototo, al que no conoció y del que tiene las peores referencias. Nos lo chivó tío Juan José.

—Tu tío Pototo era un maricón de playa.

Pero Mamá no sale de su túnel. El doctor ha dicho que puede quedarse así para siempre, pero existe la posibilidad, mínima por cierto, de que una mañana vuelva a la normalidad.

Me preocupa más lo de Marisol. Sigue débil, lánguida y mimosa. Los análisis le han detectado una anemia considerable. Mañana vuelve al médico. El doctor Belzunce le ha recomendado que se haga un estudio completo. Está muy ilusionada con lo de Tomás y Flora, pero tira para su casa.

—Lo siento por mi padre, que en el fondo, sigue enamorado de Florilla.

—Ojos que no ven corazón que no siente, Marisol.

—Sí siente, Cristián. Te lo digo yo.

Elena lleva veinte días ayudando a los niños en la escuela. Se siente realizada, como se dice ahora. Pero no son catorce sus alumnos, sino quince. Todas las tardes, a las siete en punto, viene un niño de fuera. Se llama Juan José, tiene 94 añitos y se sienta en el pupitre más cercano a la mesa de la profesora. Creo que es muy aplicado, que no habla, ni hace gamberradas, ni molesta. Sólo mira y escribe poesías. A Elena le hace gracia este niño tan raro, que para más ventajas, ha iniciado sus trámites de divorcio con Paquita *la Atunera*, a la que va a comprar un piso en Barbate además de abrirle una cuenta corriente con un ingreso de nueve cifras. Parece que están de acuerdo, que el niño, mi ahijado, vivirá con ella, pero vendrá todos los fines de semana al Acebuchal. Cosas de las parejas.

—Juan José, si me sigues mirando así, te expulso de la clase.

—Perdón, señorita Elena. No volverá a ocurrir.

—Me gustó mucho tu última poesía.

—La escribí con Garcilaso.

—Felicítalo de mi parte.

—De su parte, señorita Elena. ¿Quiere cenar conmigo esta noche?

—Depende de tus intenciones.

—Las peores, señorita Elena.

—Entonces sí.

• • • •

Paseaba Pepillo por el jardín. A la altura de la habitación de Flora, oyó la voz de su amada pronunciando otro nombre.

—¡Sí, sí, Tomás, ahí, sí, sí, Tomás, mi amor...!

Sus ojos parecían regaderas.

• • • •

Tormenta inesperada. No meteorológica, sino pasional y anímica. Uniformado como un pincel, con sus galones de cabo, se ha presentado inesperadamente el Cigala, con un permiso de siete días en el bolsillo. Algo tiene este pájaro que vuelve locas a las mujeres. Tomás, mosqueadísimo, me ha pedido árnica.

—Señor, ese criminal no puede quedarse en casa.

—Tampoco puedo impedírselo, Tomás. Sirvió aquí.

—Antes de servir aquí, robó aquí, secuestró a la señora marquesa viuda aquí, sedujo aquí y se cepilló a mi Flora aquí.

—Porque tu Flora estaba de acuerdo.

—Mire, señor. Paso por lo del coche. Fue culpa mía, pero ya me puedo morir sabiendo que he sido el propietario de un Mercedes. Pero no soporto que me quiten a Flora, y este chusquero viene con las peores intenciones.

—Si Flora te quiere, tienes que confiar en ella.

—Flora es muy putísima, señor marqués.

—¡Hombre, Tomás!

—Que lo sé, señor, que lo sé.

Ha sido ella la que me ha avisado. Las miradas que ha intercambiado con Tomás, de órdago a la grande.

—Señor marqués. El Cigala está aquí. Quiere saludarlo.

—Que pase, Flora.

El caballero legionario cabo José González Ortega, alias *el Cigala*, ha hecho entrada en el salón como si fuera el protagonista de *Sin novedad en el Alcázar*. Gorro en la mano derecha posado en el antebrazo, y taconazo de premio.

—A sus órdenes, Vuecencia.

—Bienvenido Cigala. ¿Qué tal por el Tercio?

—¿Puedo hablar como un legionario?

—Lo eres.

—Pues de puta madre, Vuecencia. He ascendido a cabo, y el domingo salgo para Bosnia.

—Todavía es lunes.

—Precisamente, Vuecencia. Ruego acepte mi solicitud de pernoctar en este establecimiento hasta que se produzca mi reincorporación a las Fuerzas Internacionales de Paz.

—Puedes quedarte, si te portas bien.

—Un legionario jamás promete tal cosa. Si me quedo, lo hago con todas las consecuencias.

Tomás ha intervenido.

—Si se queda, señor marqués, es muy probable que las Fuerzas Internacionales de Paz tengan que buscarse otro cabo.

El aire se mascaba. Densidad absoluta. Flora lo ha empeorado.

—Tomás, lo mío con Pepe es agua pasada.

—Afirmativo. A tu novia, ya me la he tirado.

Tomás ha avanzado dos pasos para abalanzarse con más precisión sobre las Fuerzas Internacionales de Paz. El cabo de la Legión, no se ha movido ni un milímetro.

—Cigala, haga el favor de ser más diplomático.

—A las órdenes de Vuecencia. Pero si éste me toca, yo me defiendo.

De nuevo Flora, impidiendo la armonía.

—Tomás, los celos me deprimen. Además, que sólo siento cariño por el Cigala.

La escena, a punto de escaparse de mi dominio. En ésas estábamos, cuando ha solicitado permiso de acceso Pepillo el jardinero.

—Señor marqués, que el sinvergüenza del Cigala ha vuelto.

—Ahí lo tienes, Pepillo.

—Pues como intente algo con Flora, me lo cargo.

Tomás al quite.

—Tú no haces nada. El novio de Flora soy yo.

Pepillo ha bajado la cabeza. Elena, que viene con un recado.

—Señor marqués. Que la señora marquesa está de parto.

—¿A los tres meses de embarazo?

—Eso me ha dicho.

—Pues en lugar de un hijo voy a tener una lagartija.

El caballero legionario, tras reparar en Elena, ha gritado ¡Viva España!

Y todos, olvidando rencores, rencillas, distancias, agobios y adversidades, hemos coreado el grito al unísono.

—¡¡Viva!!

Aprovechando la unión momentánea de emociones, he procedido a impartir mis órdenes.

—Señoras y señores. Mientras me halle junto a mi mujer, quedan prohibidas las trifulcas amorosas. El Cigala puede quedarse. Pero no tolero ni un lío. Despejen el salón.

—¿Ordena alguna cosa más, Vuecencia?

—Nada, Cigala. Y con Elena, mucho cuidadito.

• • • •

En la habitación, Marisol con las lágrimas a punto de cauce.

—Es mentira que estaba de parto, mi amor. Era para que me vinieras a ver.

—La Jaralera está revolucionada, Marisol.

—¿Qué ha pasado?

—Que se ha presentado el Cigala.

—¡Santo Dios!

• • • •

El abrazo del Cigala a Ramona, la cocinera de Zumárraga —aunque natural de Bermeo—, conmovedor. Cuando la gente es diferente, se lleva de maravilla. Flora asistía complacida a la efusión, Tomás no tanto, Pepillo nada y a Elena, le importaba un pimiento. Pero cuando el Cigala se zafó de los brazos de Ramona, buscó entre la multitud presente a la nueva doncella.

—Y tú, ¿de dónde has salido?

—De Cuenca, coronel.

—¿Y qué haces?

—Soy la doncella de la marquesa viuda y la maestra de la escuela.

—¿Le has quitado el puesto a Flora?

—Flora lo es de la marquesa actual. De doña Marisol.

—Esto está tan interesante, que si me da por ahí, me declaro objetor de conciencia y no vuelvo al Tercio.

—Por mí, como si te mueres. Me llamo Elena.

—Y yo el Cigala.

—Pues ya lo sabes. Encantada, pero ni te acerques.

• • • •

Mamá no mejora. Las monjitas me la quieren devolver para que siga en casa su convalecencia y

137

tratamiento. Ha perdido la cabeza completamente. Según me ha revelado la superiora sor Lucila de la Transfiguración, todas las mañanas pide globos. Y ya con los globos, que la lleven al funicular de Igueldo, en San Sebastián. Ha vuelto a su infancia.

—Cristina, hija, que San Sebastián está muy lejos —le susurra la monjita.

—Pues que nos lleve Gumer, el chófer de mi padre.

«Gumer», es decir, Gumersindo, el chófer que fuera de mi abuelo materno, falleció en 1929.

En vista de todo ello, mañana nos devuelven, contra nuestra voluntad, a mi madre. La traerán en una ambulancia, para ver si se divierte con las sirenas y recupera la conciencia. No obstante, he encomendado su cuidado a Virginia, una enfermera contratada al efecto, y así dejo a Elena al mando de la escuela, que va de maravilla.

Virginia se ha presentado. También una mujer de apariencia celestial, carnal, virginal, mineral y vegetal. Una bomba de tía. No sé qué pasa en La Jaralera, que se parece cada día más a la pasarela Cibeles esa.

He ido a darle la mala nueva a Marisol.

—Mañana nos devuelven a Mamá.

—Ofréceselo a Dios.

—Tonta del todo, babieca perdida.

—Mejor, mi amor.

—¿Y tú, cómo te sientes?

—Débil, Cristián. Esto es muy pesado.

●●●●

Flora y Tomás discutían con calor. La llegada inesperada del Cigala había quebrado las armonías. A Tomás le vencían los celos y la angustia.

—No puedo pensar que hayas estado en la cama con ese animal.

—Yo no soy propiedad de nadie, Tomás.

—Si intenta algo, no respondo.

—¡Tomás! ¡Que se va a Bosnia!

— Que no, Flora, que no. Que no soporto su presencia.

—Ni yo a los celosos compulsivos.

●●●●

Marisol terminaba de cenar en su cuarto. Flora le acompañaba.

—No sé qué tiene ese canalla, Marisol, pero me sigue gustando.

—No te lances, Florilla, que tienes cola. Tomás, Pepillo y mi padre.

El Cigala y Ramona tomaban el aperitivo en la cocina.

—Antes de irme a Bosnia, le hago un favor a Flora.

—Más peligro tienes aquí que allí. Cuidadito, «shigala», que esto no está para bromas.

El marqués y don Ignacio se hallaban zambulléndose en JB con hielo y agua. Tomás, serio y preocupado, asistía a la inmersión escocesa del noble y el religioso.

—Un drama, don Ignacio. ¿Qué hacemos con una madre bobita?

—Ánimo, Cristián. Mejor así que con sus facultades mentales intactas.

—Tomás, te presiento aguerrido.

—Esta noche puedo convertirme en un asesino, señor marqués.

Pepillo cenaba en solitario, sólo acompañado de sus melancolías.

Y en la Venta del Azahar, a diez kilómetros de La Jaralera y siete del Acebuchal, Elena y Juan José se hacían carantoñas.

—Te voy a convertir en la Marisol del Acebuchal.

—No tan deprisa, Juan José. Que yo soy muy antigua.

—Tú eres una bomba.

—Y tú un fresco. Pero me gusta que seas así.

—Me encanta cómo ayudas a los niños a estudiar.

—Eres un falso.

—¿De verdad eres de Cuenca?

—De verdad absoluta.

—¿Y tienes hermanos?

—El más bajito, mide 1,92 de estatura.

—¿Y tus padres?

—Mi madre, sus labores. Mi padre, agricultor. Tiene muy mala sangre, y dice que matará al primero que toque a su hija.

—Yo te voy a convertir en mi reina.

—Es republicano.

—Pues me arriesgo...

• • • •

Todos acostados en La Jaralera. Los marqueses, abrazados. Pepillo, con sus soledades. Flora y Tomás, galopándose entre mórbidos celos. Ramona, roncando a pierna suelta. Don Ignacio, desvelado de rezos. La cama de Elena, vacía. El Cigala, sopesando posibilidades y distancias. Virginia, la enfermera, deseando menos distancias y más posibilidades.

En el Acebuchal, Elena rendida y el tío Juan José a un paso del síncope.

—No he conocido jaca que se te parezca.

—Pues tú, a pesar de la edad, cumples de dulce.

—Bravo por Cuenca.

141

—Es tardísimo. Mañana llega la marquesa viuda.

—Te llevo, mi hembra.

—Sin hacer mucho ruido, que me da vergüenza.

—Pero antes...

—¡No, Juan José, que eres de lo que no hay!

• • • •

Todos en pie a las diez en punto. Bostezos y ojeras. El guarda de la entrada, Julián, ha pulsado el timbre, señal inequívoca de que la ambulancia ha ingresado en los territorios autónomos de La Jaralera. Los marqueses y don Ignacio en la puerta. La ambulancia ha puesto en ajetreo su sirenamen y la paciente aplaude entusiasmada desde su camilla.

—Más, más fuerte, que es muy divertido.

• • • •

Me he adelantado para saludar a Mamá, que aplaude a las sirenas y las luces de la ambulancia. Al ir a besarla, ha reculado con la cabeza.

—Preséntese, caballero. Yo no beso a los desconocidos.

—Soy Cristián, Susú, tu hijo.

—Mis padres me han prohibido hablar con los extraños.

—Tu hijo, Mamá.

—El día que sea madre no me gustaría tener un hijo tan horroroso como usted. ¡Ah, hola, Pototo! ¿Qué haces aquí?

Ha reparado en la presencia de don Ignacio.

—Buenos días, Cristina. Bienvenida a su casa.

—Cada día estás más raro, Pototo.

—No soy Pototo, señora. Soy don Ignacio, su capellán.

—Buen capellán estás tu hecho, Pototo. Llévame al «funi» de Igueldo, pero que no se entere Papá.

—Se ha estropeado el funicular, Cristina.

—Pues ésta sí que es gorda. Pototo, cómprame este coche tan divertido.

—Es una ambulancia, Mamá —le he dicho para ver si reacciona.

—Si insiste usted con lo de «Mamá», voy a llamar a un guardia, para que deje de molestarme, tonto. Pototo, quiero este coche con ruidos. ¿Y usted, quién es?

—Marisol, tu nuera.

—Tú lo que eres es muy poquita cosa. Pototo, dile a esta poquita cosa que se quite de en medio.

—Señora...

—Eres rarísimo, Pototo. Ahora me llamas «señora». Cómprame el coche.

El enfermero y el conductor de la ambulancia, de lo más violentos. Como siempre, ha sido Flora la que ha abierto el camino de la solución. Ha aparecido por la puerta con un manojo de globos de todos los colores.

—¡Huyyy, globos! —ha gritado Mamá—. ¿Cómo te llamas?

—Me llamo Flora.

—Pues eres mi amiga, Flora. Dile a ese señor alto con la nariz larga y cara de idiota que eres mi amiga.

—Soy su amiga, señor marqués.

Me ha molestado que Flora haya deducido que el idiota alto con la nariz larga era yo.

—Vamos a jugar, Flora. Este jardín es estupendo. Tú eres la «malvada Antoinette» y yo el «príncipe Purulupurulí». Pototo, si quieres, puedes jugar tú también. Serás le *Mauvais Geant*. Venga, vamos. Pototo, apóyate en el tronco de ese árbol, cuentas hasta veinte y nos buscas.

Don Ignacio me ha mirado con cara de interrogación. Flora también. Mi respuesta ha sido afirmativa. Hay que jugar al escondite. Un último intento.

—¿Puedo jugar yo también, Mamá?

—No. Usted no. Usted es asqueroso.

Y ha saltado de la camilla, ha tomado a Flora por su mano, y se ha escondido en la recoleta de los magnolios, mientras don Ignacio, con muchísima paciencia y pesadumbre, se ha puesto a contar sin hacer trampas, apoyando su cabeza en el tronco del liquidámbar. Hecha la cuenta, se ha puesto a buscar a las traviesas juguetonas.

—Cristián, tu madre está peor de lo que creía.

—Está fatal. La prefiero antipática y con cabeza.

—Este ritmo de juegos puede terminar con todos.

—¿Te has fijado cómo ha saltado de la camilla?

—Como una gacela, Cristián. Está agilísima.

Cuando Marisol y yo entrábamos, ciertamente apesadumbrados en la casa, la voz de Mamá se ha aducñado del jardín.

—¡Trampa, Pototo, has hecho trampa! Vamos a ponerte una prenda.

Don Ignacio se defendía.

—De trampa nada. Te he pillado, Cristina.

Aprovechando la confusión, la ambulancia ha partido camino de Sevilla, después de dejarnos en La Jaralera a esta niña tan insoportable.

• • • •

La semana ha resultado agotadora para don Ignacio y Flora. Juegan al escondite todos los días con Mamá, que les exige expresiones en francés. No vale gritar «¡tocado!». Sólo gana el que dice «¡*touchée!*». Mamá tuvo en la infancia una «madmua» llamada Jocelyne a la que quiso una barbaridad. Era de Urrugne, un precioso pueblo de Le Pays Basque, cercano a Biarritz, Hendaya, San Juan de Luz y Ascain. Se llamaba Jocelyne Etcheberri, y Papá decía que era espesita. Tenía gracia Papá: «Mucho *parfum* y mucha *eau de cologne*, pero olía a *fromage*.» Cuando mi padre hacía este comentario, Mamá estaba una semana sin dirigirle la palabra.

Semana larga, como me ha parecido esta última hasta que ha llegado el domingo y la tentación se ha marchado. Me refiero al Cigala que, al fin, ayer por la noche, de nuevo uniformado de cabo del Tercio, se incorporó a su acuartelamiento en Montejaque, Ronda, de donde partirá hacia Bosnia. La va a armar en Bosnia este pájaro de cuentas. Toda la semana vigilando, Tomás a punto de estallar, Flora confundida, Virginia, la enfermera... No me atrevo a poner la mano en el fuego. Manolo el chófer me ha chismorreado que Ramona le ha dicho que dos noches atrás el Cigala se introdujo en el cuarto de Virginia y no salió hasta las 8 de la mañana. Quizá jugaron a los médicos, pero no me veo al Cigala en esos menesteres. Cuando la III Guerra Mundial estaba a punto de ser declarada, y Tomás y Pepillo se disponían a iniciar el ataque, el Cigala partió. Su despedida, dignísima.

—Agradezco a Vuecencia, señor marqués, su hospitalidad.

—Descanse, cabo. Me alegro que lo haya pasado bien.

—Con la enfermera, mejor que bien.

—Cigala, es usted un peligro.

—Despídame de Flora, Vuecencia. Dígale de mi parte que mi último pensamiento será para ella. Así lo dice nuestro himno, «El Novio de la muerte».

—Lo haré, Cigala.

—Dígale que me llevo la fotografía que le hice en pelotas cuando éramos novios para que la encuentren cuando caiga por culpa de los serbios. Lo dice nuestro himno: «Cuando al fin le recogieron / entre su pecho encontraron / una carta y un retrato / de una divina mujer.»

—Me está emocionando, cabo.

—No se le olvide a Vuecencia, señor marqués. Si no ordena nada más...

—Nada, Cigala. Mucha suerte en Bosnia. Aquí tendrá siempre su casa.

—Pues a las órdenes de Vuecencia, señor marqués.

Taconazo, media vuelta y desfile hacia la puerta. La Jaralera, libre de tentaciones.

Cinco días y una muerte casi

Tres meses han transcurrido. Calor calcinante. El campo tiene sed, pero menos que otros veranos. Ha caído tanta agua durante el invierno y la primavera, que la sed del campo es más por capricho que por necesidad. El Guadalmecín baja glorioso, y el lago está para beber en sus aguas. Sólo la albariza parece más angustiada. Miles de flamencos. Los cisnes negros felices de la vida, ya más sociables con el resto de los patos. La vida sigue.

Marisol con tripón. Más que con tripón, con un bombo de aúpa. Lucas la visita con frecuencia, y aprovecha la situación para distraer a Flora de sus inclinaciones por Tomás. Lo siento por ambos, pero mi intuición me dice que por ahí no van los tiros. Creo que Tomás y Flora, que se lo han pasado muy bien una temporadita, se han dado cuenta de que sus corazones no laten al unísono, como suele escribir Wodehouse, uno de los autores preferidos de mi padre. Tengo en la biblioteca casi todas sus novelas. Marisol, que habla con Flora de todo, me ha dicho que lo suyo con Tomás está terminado, y que le gusta Pepillo, el jardinero. Pero Lucas insiste, y hace bien. No se saca petróleo de la tierra sin perforarla previamente. Pero mucho me temo que Lucas, mi discreto y leal suegro, no se va a comer una rosca en esta merienda. Tomás, tan frío y pragmático, me lo ha confesado.

—Señor, mis dos ilusiones se han realizado. He sido el dueño, durante 38 minutos, de un Mercedes y me lo he hecho con Flora durante tres meses y medio. A partir de ahora, mi única pretensión es seguir siendo la mano derecha del señor marqués.

Un hombre como Dios manda. Lo cierto es que algo ha cambiado en el aspecto de Pepillo. Siempre limpio, siempre sonriendo, siempre canturreando canciones de tío Rafael de León. «Cuando en los campos / de verdes chumberas / suenan las campanas / de la madrugá, / y sarta a los montes / la luna lunera / y a mi vera vera / te siento llegar.» Lo malo es que la repite demasiado, y Ramona le ha advertido que no aguanta más lunas luneras a su vera vera en la madrugá, y que a la próxima le arrea una leche. Entonces Pepillo, que domina todo el repertorio, cambia de copla. A mí me gusta mucho oírle, mientras poda las buganvillas, la de la madre, que me parece preciosa y la canta de cine mudo. Se trata de un señor enamorado de una mujer muy caprichosa que le da todo lo que ella pide: «Y mira, nunca me quejo / de tus caprichos constantes. / "¡Quiero un vestío!"... "¡Catorse!" / "¡Quiero un reló!" ..."¡De brillantes!"» Al final, se pone muy pesada y le habla mal de su madre, que seguramente era más cariñosa que la mía: «A la mare de mi arma / la quiero desde la cuna... / ¡Por Dios, no me la avasalles, / que mare no hay más que una / y a ti te encontré en la calle!» La puso en su sitio.

Lo de Mamá es peor. Lleva tres meses que no para de jugar. Ahora le ha dado por el juego de las sillas. Colocan tres sillas en el jardín, y ella, don Ignacio, Flora y Manolo, bailan a su alrededor. Elena, que está al mando de la música, interrumpe de golpe la canción, y entonces tienen que sentarse. Pero al haber una silla menos que participantes, uno se queda en pie y es eliminado. Entonces se retira una silla, y así hasta la gran final, con dos jugadores y una silla sólo. Suele ganar Mamá porque llora una barbaridad cuando pierde y tira del pelo a Flora o pega a don Ignacio, al que insiste en llamarle Pototo. A Manolo le dice Gumer, en recuerdo al chófer de su padre (Q.E.P.D.). Pero están agotados, y Flora se ha propuesto —lo sé por

151

Marisol—, jugar a «Robin Hood», para que Mamá se suba a un árbol, se resbale y se pegue un hostión. Pero don Ignacio y Manolo se han opuesto, porque ellos tampoco están para subirse a los árboles con garantía de supervivencia. En fin, una lata. A mí no me deja jugar porque dice que soy un desconocido tontísimo y que se aburre de lo lindo con mi presencia. Para mí, mejor, aunque algo me duele, porque lo de la silla es bastante divertido.

Pero los jueguitos de Mamá me han salido por un ojo de la cara. He tenido que instalar en los cuartos de baño duchas con mampara, para que los participantes puedan ducharse a toda prisa cuando terminan de jugar. No les sirve el baño, que tarda en llenarse y precisa de más tiempo. Así que ducha para Flora, para Manolo y para don Ignacio, y como Ramona, Elena y Virginia se han sentido discriminados, duchas para todos. La mitad de la poda de las encinas se me ha ido en las puñeteras duchas. Tomás, como es un señor, se mantiene con su baño de siempre.

—La ducha es de clase media, señor marqués.

Y tiene toda la razón. De Perona no tengo que ocuparme porque es sólo mediopensionista. Su ambición es la de ser invitado a comer con nosotros, pero hace demasiado ruido y habla con la boca abierta. Se lo he dicho crudamente, para que no haya engaños ni susceptibilidades.

—Cuando aprenda usted a comer correctamente se sentará en el comedor interprovincial.

Ramona me ha confirmado que mejora semana tras semana, pero que aún no está preparado para dar el salto.

● ● ● ●

Marisol me ha pedido un paseo. Buena noticia. Ello significa que se encuentra fuerte y en forma. Ya nota el peso de nuestro hijo, que en la ecografía se ha manifestado confuso. Estoy que cuento los días para tener en mis brazos a Ildefonso Cristián Obdulio Ximénez de Andrada, Montejo, Belvís de los Gazules y Frechilla. Lo cierto es que los apellidos de Marisol rompen un tanto la armonía sonora de los míos, pero eso carece de importancia. Nada más nacer, pienso transmitirle el condado de Buganda de don Fadrique, para que se vaya acostumbrando desde bebé a estar un palmo por encima del prójimo. De esta manera, le privo de posteriores ataques de esnobismo. Una persona que nace conde, no le da importancia al hecho tan natural de serlo.

El sol ha iniciado su caída y el campo está de locura. En la Dehesilla nos hemos detenido para contemplar el espectáculo grandioso de los cerdos. Se ha pasado Perona con el número. Por buena que venga la otoñada con su mejor montanera, pocas bellotas van a quedar en el suelo. Superada la fresneda, ya con el golpe húmedo del agua cercana, hemos hecho un alto en el camino en el puente de los plumbagos, con un Guadalmecín aún poderoso corriendo decidido hacia la mar. Un calamón se ha despistado por entre las junqueras, dejando una sombra azul y brillante en nuestras miradas.

—Me canso, Cristián.

—Es lo lógico, Marisol. Por eso descansamos.

—No, mi amor. Mi cansancio es de otro signo. Estoy dormida y sigo cansada.

—Vas a ver qué pronto te acostumbras.

—Dios te oiga, amor mío.

Marisol tiene una especie de velo que se le ha encajado en su expresión. Está pálida. El doctor Belzunce le ha diagnosticado un principio de anemia. Espero que en pocos días vuelva a su alegría, a su ritmo, a su maravilla de estructura humana.

—¿Sabes, Cristián? Presiento demasiadas oscuridades. Veo sombras de dolor, precipicios que me vienen...

No he conseguido hacerla llegar hasta la albariza de los juncos. En el lago, nuevo parón. No le importan los patos ni los cisnes. Me ha agarrado de la mano y hemos pasado más de una hora en silencio, mirando nuestros paisajes más que ridos. Allí, a diez pasos, a un tiro de piedra, tras el recoveco que aquí conocemos como el cabo de los álamos, la vi por primera vez, bañándose desnuda, libre y prodigiosa. Y aquí mismo nos dimos el primer beso, con aquel spray «Bésame» que me trajo primo Moby de Holanda. Y aquí, cuando Marsa me abandonó, volví a encontrármela nadando entre las cercetas, y nos abrazamos definitivamente. Pero hoy no tiene aficiones de recuerdos, y ha cancelado su mejor memoria. Tiene frío.

He llamado a Tomás, que me envía a Manolo con el viejo Land Rover a recogernos. De aquí, derechita a la cama, que Flora la está preparando con todo su cariño de amiga leal.

Marisol no habla. Mira, sonríe, llora y me besa. Pero son besos diferentes a los suyos. Éstos de ahora son cálidos y hondos, pero de profundidades tristes.

Ya está aquí Manolo.

—Vamos, mi vida.

• • • •

He dejado a Marisol con Flora. Mamá, en el salón, a gatas con don Ignacio. Están jugando a la *Vache et le loup*, es decir, a la vaca y el lobo. Don Ignacio es la vaca y Mamá el lobo. Lo lógico sería al revés, y así se lo he dicho. Mamá, que estaba a punto de olfatear el rastro de la vaca, ha alzado la cabeza, me ha mirado, ha gruñido, y después de ladrar repetidas veces, me ha dicho.

—Usted se calla porque no sabe jugar. Siempre tiene que entrometerse cuando nadie le llama. Haga el favor de marcharse a su casa y déjeme con mi primo Pototo.

No hay nada que hacer. Don Ignacio se ha refugiado tras el sofá inglés de flores. Según las reglas de juego, que Mamá impone, tiene que mugir cada vez que se oculta. Es una tramposa, porque así se orienta y le da alcance.

A gatas es mucho más ágil Mamá que don Ignacio. Entonces se me ha ocurrido una diablura divertida. Me he puesto en cuclillas detrás de la cortina del ventanal oeste, y he emitido dos ¡Muuuuuu! impresionantes. Más que como un lobo, como una gacela, ha venido hasta mi sitio con la risa sofocada por la ilusión. Cuando ya se disponía a morderme, se ha apercibido de que era yo la vaca, y se ha puesto a llorar. Un berrinche.

—¡Le he dicho que no quiero jugar con usted, aunque se chinche y aunque rabie! ¡Pototo, ven a pegar a este caraculo! ¡Si no le arreas un puñetazo, no vuelvo a jugar contigo!

La situación, dificilísima. Don Ignacio se ha incorporado, abandonando por unos momentos su condición de vaca lechera, y se ha acercado hasta nosotros. Mamá sentada en el suelo y gritando cada vez más fuerte.

—¡Pega al caraculo, Pototo!

He mirado a don Ignacio, y con un gesto rápido de complicidad y comprensión, le he dado permiso para que me pegue un cachete. A ver si de esta manera, Mamá deja de berrear. Don Ignacio me ha correspondido con otra mueca, que expresaba claramente su solicitud de benevolencia. Entonces se ha colocado ante mí y después de decirme:

—¡Deja de molestar a mi prima, caraculo!

Me ha arreado un soplamocos que me ha dejado la cara a cuadros.

—¡Bravo, Pototo! —ha aplaudido Mamá entusiasmada—. ¡Vamos a jugar otra vez sin el caraculo!

Y han retomado el juego. Mientras, Tomás, que todo lo había visto, desaparecía de mi vista retorciéndose de risa y yo buscaba con mi mirada la huidiza de don Ignacio, que no se atrevía a levantar la cabeza. Después hablaré con él muy seriamente. Porque la bofetada que me ha dado, no era de mentirijillas. Aquí se ha vengado de pasadas vejaciones y agravios que yo tenía olvidados.

Así que me he refugiado en mi despacho, en el cuarto de los libros, para rumiar mi tristeza, desencanto y ¿por qué no reconocerlo?, mi pizca de soledad.

Marisol está con Flora, que la entiende de maravilla. Mamá y don Ignacio jugando a la vaca y el lobo. Tomás muriéndose de risa... Me voy a dar una vuelta por la escuela, para ver cómo estudian los niños los deberes.

En el fondo, muy en el fondo, me apetece ver a Elena, que me cae muy bien.

Así que, pasito a pasito, con la cara todavía anestesiada por el mamporro de don Ignacio, me he dejado caer, la capilla superada, en la escuela, donde Elena vigilaba el estudio de catorce niños y un viejo verde que no paraba de mirarla.

—Buenas tardes, niños.
—¡Buenas tardes, señor marqués!
—Buenas tardes, Elena. ¿Todo bien?
—Todo en orden, señor.
—Buenas tardes, tío Juan José.
—Hola, mamoncete.

• • • •

Despertar tranquilo. Conciencia agitada. Como va siendo costumbre, he dejado a mi mujer dormida. Puedo parecer cursi, pero con los ojos cerrados y respirando plácidamente es como una rosa entregada al milagro. Me preocupa, y mucho, la extraña relación entre tío Juan José y Elena. Tomás me apoya en el desasosiego.

—Todo muy raro, señor marqués. Don Juan José es un gran seductor, pero lo de Elena, me extraña.

—Te extraña y te molesta, Tomás.

—No es la molestia. Es el pasmo que me produce pensar que una mujer como Elena pueda enamorarse de un pingajo como don Juan José.

—A Paquita *la Atunera* le sucedió lo mismo.

—No, señor marqués. La Atunera se casó por el dinero, y pongo la mano en el fuego. Ese hijo es de otro. Elena no es de ésas.

—Pues está como tonta con Noé.

—Si quiere, lo averiguo. Para mí, señor marqués, las mujeres han dejado de preocuparme. Me he vuelto misógino.

—Más que averiguarlo, hazla llamar. Que venga inmediatamente.

Estoy a tiempo de salvar a esta chica tan mona y aprovechable. Tengo que hablar seria y crudamente con ella. Todavía no se ha despertado Mamá, la tontita. Es el momento oportuno. Golpes en la puerta. Elena.

—¿Deseaba algo, señor marqués?

—Sí, Elena. Hacerte saber que estás nadando entre pirañas.

—Si me lo permite el señor, le corrijo. Estoy nadando con una piraña.

—Mi tío es un golfo. No puedo permitir que abuse de ti.

—Señor marqués. Tengo 30 años, y sé perfectamente que su tío es un golfo, un viejo verde y un marrano. Pero me divierte.

—Elena, no me gustaría tener que prescindir de ti.

—Si lo hiciera por entrometerse en mi vida privada, me decepcionaría mucho, señor. Usted es un caballero.

—Lo hago por tu bien.

—Permítame que sea yo la que busque mi bien.

—Tío Juan José no puede durar demasiado tiempo.

—Precisamente por eso le quiero. ¿Desea algo más, señor?

—No... no, Elena, bueno... sí. Mi madre, ¿sigue bebiendo?

—No, señor marqués. Como es una niña, sólo me pide Colacao.

—Gracias Elena. Y mucho cuidado.

—Lo tengo, señor.

. . . .

Muy segura de sí misma. Para mí, que persigue lo mismo que Paquita *la Atunera*. La diferencia es que algo tiene esta chica que me obliga a estar pendiente de su futuro. Me baño, me visto y voy a ver a tío Juan José. Hay que cortar por lo sano esta tontería.

Ahí llega don Ignacio. Ha adelgazado una barbaridad. Expresión caída y malas pulgas. Extraña reacción, cuando el ofendido soy yo.

—Don Ignacio, otro sopapo como el de ayer, y no respondo.

—Perdón, Cristián, se me fue la mano.

—Se le fue mucho. Se pasó cuatro pueblos. Casi me tumba.

—Los nervios, Cristián. Estoy que no puedo más. La señora marquesa viuda, de niña, es para matarla.

—Y de anciana.

—Pero peor de niña. No aguanto más. O se cura, o la mete interna en un colegio de tontas, o yo me marcho a mi pueblo de Cardeñosa y aquí paz y después gloria. Pero ni un minuto más.

—Mala temporada, don Ignacio, pero se arreglará.

—Cuando se arregle, yo estaré muerto. ¿Sabe lo que pretende para hoy?

—Ni idea, don Ignacio.

—Que juguemos a los peces. Ella es el tiburón y yo la anchoa.

—No le veo nada malo.

—Porque a usted no le muerde. Me mordió ayer de lobo y hoy me quiere morder como tiburón. Mire mis brazos, Cristián.

Para vomitar. Unos brazos blancos y peludos con unas ronchas sanguinolentas que tiran para atrás. Un asco. Y tienen que resultar muy dolorosas.

—Ofrezca a Dios sus sufrimientos, don Ignacio.

—Su madre me va a matar... ¡Y no soporto que me llame Pototo! ¡Como me vuelva a llamar Pototo, la tiro al Guadalmecín!

En ésas estábamos cuando retumbó una voz en el salón. Más que retumbar, chirrió.

—¡Pototo, tú eres la anchoa!

Era Mamá, en camisón. Don Ignacio, abatido, se dejó vencer aún más.

—De acuerdo, Cristinita. Pero antes, déjame desayunar.

—¡Eres un fffffenómeno, Pototo!

• • • •

Ha llamado el doctor Belzunce. Quiere darle un repasito a Marisol. Me parece de perlas, por-

162

que algo no le funciona a mi niña. Algo del cuerpo o del alma, que ya se sabe que la segunda manda sobre el primero. Voy a aprovechar su ausencia para cantarle las cuarenta a tío Juan José. Su obsesión con Elena clama al cielo y su caso se está pasando de castaño oscuro. Entretanto, burocracia y arreglitos. Elena me ha agradecido entusiasmada su aumento de sueldo, que yo he justificado con su labor docente. Me ha llegado a los oídos que Flora se ha puesto a hablar con Pepillo, previo permiso de Tomás, que ya no busca escarceos. Perona me ha propuesto organizar visitas periódicas a la Jaralera de escolares y viejecitos del Inserso. Para ello habilitaríamos el viejo caserón de los pinares y compraríamos tres o cuatro todoterreno descapotables para efectuar las visitas. Me dice Perona que en la Guía Europea de Humedales, figura La Jaralera como uno de los mejor conservados. Lo malo de esto es que perderíamos la privacidad. Pero hay dinero en el horizonte. He consultado con Tomás, como siempre.

—Me parece una idea horrible, señor.

—Pensaba cederte el bar y restaurante del caserón. Lo lleva un pariente o empleado tuyo, y para ti las ganancias.

—La idea ha dejado de parecerme horrible.

—Siempre que no abandones tu cometido de mayordomo jefe de esta casa.

—Para mí, señor, mi trabajo es lo primero.

—Te tendré al corriente, Tomás. Avisa a Manolo para que se prepare. Tiene que llevar a la señora marquesa, bueno, a Marisol, a Sevilla. Yo me voy al Acebuchal, que tengo que hablar con mi tío.

—Anda de pavo real, señor marqués.

—Pues eso. Que le voy a cortar las plumas y la cola.

• • • •

El Acebuchal linda con La Jaralera por el Llano de las Avutardas. Ahí tenemos un portón que utilizamos a nuestro antojo. En el Land Rover el paseo es agradable, aunque nuestro carril está en mejores condiciones que el del tío, que no se gasta un duro en mejorar su firme. Del portón a la casa del Acebuchal media un buen trecho. Tiene el campo descuidado, porque de treinta años para acá lo único que le importa a mi pariente es el mujeraje. La casa es un caos. Entre cuadros magníficos —un zurbarán, dos murillos, otros dos madrazo—, horribles pinturas de almanaque barato con mujeres desnudas. Son obras de su amigo el pintor Corbacho, que ha retratado a todas sus amantes. Corbacho es su pintor de cámara, y nunca mejor dicho. Hiperrealista, según tío Juan José, y no anda descaminado. Pinta hasta los luna-

164

res y las pecas. En el salón, sobre la chimenea, cuelga el retrato de Pepita *la Dálmata*, agua muy pasada pero demasiado presente en la memoria de tío Juan José. Fue su gran amor. Le decían «la Dálmata» por la cantidad de lunares que lucía en su cuerpo. En total, 346. Pues bien, en el retrato, que es una copia de la *Venus de Milo* de Velázquez, con espejo y todo, se pueden contar los 346 lunares de Pepita. Más hiperrealismo, imposible. Si contamos las cosas, es mejor terminarlas. La Dálmata murió hace diez años. La encontraron muerta en un descampado de Montellano, con una cuchillada en la yugular. El asesino, posteriormente se suicidó de una forma originalísima. Cerca de Montellano había acampado un circo ambulante. Serafín *el Renco*, que era el novio de Pepita, después del crimen, se metió en la jaula de los leones. Duró menos que una sandía abierta el 15 de agosto. Hay que tener agallas para dejarse matar así. Pero me escapo del argumento. Son diecisiete los retratos de Corbacho que cuelgan de las paredes nobles del Acebuchal. El último, el de Paquita *la Atunera*, su actual mujer ya en trance de desamores. Mi intención es que Corbacho no pinte el decimoctavo retrato, con Elena en porretas.

En el porche, tío Juan José, reduciendo su bodega sorbito a sorbito.

—Buenos días, Cristián. ¿Qué te trae por aquí?

—El cariño, tío. Venía a ver cómo estabas.

—Pues aquí me ves. Trajinándome media botellita. ¿Quieres ayudarme?

—Si me pides una ginebra, te acompaño.

—Los jóvenes sois muy vuestros. Con las maravillas de vinos que tenemos en España...

—A mí la ginebra me sube.

—Pues entonces no cambies. Todo lo que sube es bueno. En el salón tienes de todo. Te la sirves y me hablas.

Junto a la chimenea, vigilado por la mirada lánguida de la Dálmata, hay una especie de carrito de bebidas que siempre está a punto de agasajo. Ya con la ginebra en la mano, me he sentado junto al tío.

—Me huelo lo peor.

—Vengo a pedirte que abandones tu último lance. Deja que vuele la perdiz.

—La perdiz ha entrado en mi puesto muy a su gusto.

—Es una niña, tío.

—Más vieja que tu mujer, sobrino.

—Pero yo tengo 63 años y tú, 94.

—Como dijo Bécquer «La edad del hombre es un mito mientras le funcione el pito».

—Bécquer no dijo jamás esa ordinariez.

—Tienes razón. No es de Bécquer. Es mía.

166

—Elena es una chica estupenda, y puedes terminar con ella.

—Es lo que busco. Terminar con ella. Los dos aquí.

—¿Y tía Paquita *la Atunera*?

—No se hacía a esto. Estamos separándonos. Y el niño me mosquea. Ha salido pelirrojo, y en nuestra familia no hay pelirrojos.

—¿Y en la suya?

—En la suya el más claro puede pasar por zulú.

—Oficialmente es tu hijo.

—Eso... oficialmente. Pero lo tiraría al río. Me dan asco los niños, y más si son pelirrojos. Odio a los niños.

—Yo estoy feliz con el que espera Marisol.

—Porque tú eres un sentimental. En fin, Cristián, que lo siento, porque de no haber nacido ese hijoputa que dicen que es mi hijo, todo lo mío sería para ti.

—Me sobra con lo que tengo.

—Bueno, hijo, que me canso. Respeta mi libertad y la de Elena.

—Es una chica estupenda, tío. No insistas.

—Es mi última ilusión. Y tu madre, ¿sigue idiota?

—Completamente, tío.

—Pues que no se cure.

167

Una roca. Tío Juan José no es fácil de convencer. Hasta Marisol, que todo lo comprende, me ha pedido que interceda por Elena. No sabe esta chica en dónde se mete. Claro, que si busca otra cosa...

Ya tiene que estar de vuelta Marisol. A toda pastilla a casa. Quiero a mi mujer profundamente. Es un regalo tardío e inesperado, y creo que también inmerecido. Me dejó caer dos días atrás que le gustaría reformar la capilla. Será su primer proyecto de Arquitectura. Que la reforme, que haga lo que le apetezca, que se entretenga, que sea feliz. Eso es lo único que importa. Que sea plena y absolutamente feliz.

No me había equivocado. Ahí está el coche.

—¿Todo bien, Manolo?

—Bueno, casi... Marisol... perdón, la señora marquesa no ha dejado de llorar desde que abandonó la consulta del doctor.

—¿Te ha comentado algo?

—Nada, señor marqués. Sólo lloraba.

• • • •

Está pálida. Tiene los ojos hinchados de tanto llorar. No puede disimularlo. Flora, con cara de interrogación, me hace un gesto como de no comprender lo que sucede. Yo tampoco entiendo nada. Está en su quinto mes de embarazo, y parece arrepentida. La beso, pregunto por su estado, me mira y vuelve a llorar. Marisol se ha quedado muda. Algo terrible le ha tenido que decir el doctor Belzunce. Como haya sido así, me planto en Sevilla en diez minutos y le pongo la cara a cuadros. Encima de lo que cobra el muy forajido, le hace llorar a Marisol.

La telefonista me ha dicho que espere un momento. El doctor está despidiendo a una señora, que estará llorando también. Estos médicos con fama se creen que pueden chinchar a todo el mundo. Al fin su voz, seca y cortante, pero afable en el fondo. Es de Bilbao, pero se instaló en Sevilla por no pagar el chantaje a la ETA.

—¿Doctor? Soy el marqués de Sotoancho.

—Buenas tardes. Me figuro que ya se lo habrá contado su mujer.

—Mi mujer lo único que hace es llorar. Por eso le llamo. Quiero saber qué pasa.

—Pues pasa una cosa que puede resultar preocupante.

—¿Tiene algo malo mi mujer?

—No tiene nada malo. Pero tiene una barbaridad. Tiene muchísimo.

—No le entiendo, doctor.

—Tiene quintillizos. La ecografía no deja espacio a la duda. ¿Oiga, oiga? ¡Sotoancho!, ¿oiga?

He colgado. Me tiemblan las canillas. Tomás, que pasaba por ahí, ha acudido rápido a atenderme. No me he caído al suelo porque sus fuertes brazos me han sostenido.

—¡Tomás, Tomás!

—¿Dónde le duele, señor marqués?

—Tomás, Tomás. No puede ser, no puede ser.

—No comprendo por qué repite todo, señor.

—Qué barbaridad, qué barbaridad. ¡Ay, Tomás, Tomás!

—Le ha faltado un «¡ay!», señor.

—Una locura, una locura.

—Tranquilo, tranquilo. Se me ha pegado su manía de repetir. Siéntese, señor, le preparo una copa y usted me lo cuenta.

—Quiero dos copas, Tomás. Mejor, cinco copas.

—Ni que fuera usted el Real Madrid, señor marqués.

—No hay nombres para todos, Tomás.

—¿Me quiere decir de una vez lo que le pasa, señor?

—Acabo de hablar con el doctor Belzunce, el ginecólogo de mi mujer. ¡Cinco, Tomás! Está esperando quintillizos.

—¿Queeeé?

—¡Cinco hijos, Tomás!

—Que me da un papatús.

—Es patatús, Tomás.

—Pues patatús.

—A mí ya me ha dado.

—Qué horror, señor.

—Qué horror, Tomás.

Así estábamos, que parecíamos un dúo de zarzuela, cuando ha aparecido don Ignacio. Agotado. Viene literalmente agotado. Y empapado.

—Lo siento, Cristián, pero no me he podido reprimir. Le he arreado a su madre una bofetada de órdago.

—Está usted muy pegón, padre. Pero ha hecho bien. Además, ahora mismo, no me importa nada mi madre. Que se muera.

—Tampoco es eso, Cristián.

—Lo es, padre. Voy a tener quintillizos.

—¡Hos...! Perdón, Dios mío.

—Eso, don Ignacio, eso.

• • • •

Cuando me he recuperado, gracias a las copas que Tomás me ha dispuesto, que ya no recuerdo cuántas han sido, he subido a ver a Marisol. Está echada sobre la cama con los ojos fijos en el techo.

—Lo sé todo, mi amor. No pasa nada. Cinco hijos nos llenarán de alegría.

—Cristián, es horrible. Seguro que se mueren.

—Aquí no se muere nadie. El doctor no me ha dicho nada de eso. Tranquilízate, mi amor. No pasa nada.

—Estás borracho.

—Como una cuba.

—¿No te importa, Cristián?

—¿Estar borracho?

—No, tener cinco hijos de golpe.

—Es lo que siempre he soñado.

—Ayúdame, mi amor. Me siento fatal.

—Siempre me tendrás a tu lado, mi vida.

• • • •

Marisol se ha tomado un Orfidal. Así se relaja y duerme. He avisado a Flora para que la acompañe mientras tanto. No puedo cenar. Tomás tampoco se ha recuperado, y me temo que don Ignacio, menos aún. Todos temen que esto se convierta en una guardería infantil. Elena me pide audiencia. Se la concedo. Ya lo sabe todo, pero es otro el problema que me plantea.

—Enhorabuena, señor marqués.

—Gracias, Elena.

—Su madre se ha subido al tejado y ha dicho que no baja hasta que Pototo le pida perdón.

—Pues dígale a Pototo que se lo pida.

172

—Don Ignacio no está por la labor.

—¿Y ha subido sin ayuda?

—Como una ardilla, señor.

Acompañado de Elena he acudido al lugar de los hechos. En efecto ahí está Mamá, apoyada en la chimenea. Me ha mirado muy mal.

—Usted siempre metiendo las narices donde nadie le llama.

La bienvenida no ha resultado cordial.

—Mamá, baja inmediatamente de ahí.

—No soy su madre y no bajo hasta que el sinvergüenza de mi primo Pototo no me pida perdón. Me ha pegado.

—Te lo habrás merecido.

—No me tutee. Si no viene, me tiro.

—Pues tírate.

Dicho y hecho. Al segundo, una masa más pesada que el aire, una cosa desencuadernada y agitada, unas piernas entre los brazos y una cabeza entre las piernas, una croqueta elegantísima, ha volado desde el tejado al suelo y se ha pegado un morrón contra el macizo de begonias absolutamente de campeonato. Ahí se ha quedado, en decúbito prono, como muerta.

Respira. Tiene una herida en la cabeza. Mantiene los ojos cerrados. Elena ha corrido para avisar al médico. Manolo, que ha visto la operación suicida, está a mi lado. Vamos a subirla a su cuarto. Sigue respirando. No está muerta. Tengo que avisar a Pepillo. La mitad de las begonias están tronchadas.

La negociación

Mamá gime. Es normal. Lo milagroso es que viva. Don Ignacio le ha administrado la extremaunción, por si las moscas. Una extremaunción unilateral, porque él pregunta cosas muy impertinentes y directas y ella no responde. Está consternado. Me ha contado el desarrollo de los hechos y le sobra razón. Estaban jugando en el jardín y Mamá, sin previo aviso y a traición, ha enchufado la manguera y le ha puesto perdido. «¡Pareces un náufrago, Pototo!», le gritó mientras reía. Eso es hacer burla a la gente. Y entonces don Ignacio le pegó. Cuando Elena le ha avisado, se estaba dando un bañito de agua caliente. Por eso no fue a pedirle perdón. Ahora está arrepentido de lo que ha hecho, y yo me veo en la obligación de darle ánimos.

Peor que Mamá estoy yo. ¡Cinco hijos! ¡Qué problema más gordo! No tengo títulos para los

cinco. Dos de ellos se van a quedar a dos velas no-
biliarias, como si no fueran Sotoanchos. Tres hijos de verdad y dos plebeyos. Además, si los cinco nacen simultáneamente, ¿cuál de ellos hereda
Sotoancho, cuál Buganda de don Fadrique y cuál
la baronía de la Dehesa? Tengo una oportunidad.
Mi primo Moby, el estafador, que es muy simpático y no tiene dónde caerse muerto, es conde de
Valmedrano y marqués de Tubilla del Agua. Si le
doy unos buenos millones, es más que probable
que acceda a cederme sus títulos. No tiene hijos,
ni creo que los pueda tener jamás, porque está todo el día con una copa en la mano, que suele dejar de pufo a los camareros. En el bar del Alfonso XIII, cuando entra Moby, todo el mundo sale
corriendo. Es como el indio gorrón de esos chis-
tes tan graciosos que cuenta tío Juan José.

Al toro por los cuernos. No entiendo de le-
yes, pero me figuro que no es obligatorio ser conde o marqués. Si él renuncia voluntariamente y
cede sus títulos a un primo más afortunado, la Ley
no tiene nada que decir. Le he llamado a su casa.
Su voz siempre me resulta agradable y sonriente.
Moby es un tipo muy divertido.

—¡Hombre, Cristián! Pensaba llamarte esta
noche. ¿Qué tal tía Cristina?

—En estos momentos, entre la vida y la muerte. Se ha caído del tejado.

—¿Y qué hacía en el tejado?

—Últimamente se subía mucho al tejado.

—Vaya, hombre, lo siento. Si no se muere, le das un beso de mi parte.

—Te odia.

—Era un decir. Dime qué quieres de tu humilde primo.

—Tus títulos.

—No me da la gana. Es lo único que tengo. ¿Cómo me van a dejar que no pague mis copas sin ser conde?

—Vas a poder pagar todas las copas del mundo, porque voy a ponerte encima de la mesa cien millones de calandrias.

—¿Cómo has dicho?

—Cien millones. Y si hay que pagar IVA o cualquier otro impuesto por la cesión, corre de mi cuenta.

—Te cedo uno de los dos, elige.

—O los dos, o ninguno. Elige tú.

—¿Cenamos juntos? Es tarde, pero merece la pena.

—De acuerdo. Reservo yo. A las once en el Oriza.

He dejado todo en orden. A Mamá entre la vida y la muerte, y a Marisol, con quintillizos. Lo importante es lo de los títulos.

—Manolo, prepara el coche. Ceno en Sevilla.

177

—El doctor está a punto de llegar, señor.

—Que llegue, y que diagnostique. Nosotros, carretera y manta. Para mí, lo más importante son mis hijos.

—Será su hijo, señor marqués.

—No estás al corriente. ¿No me dijiste que Marisol no había parado de llorar en todo el viaje?

—Como una Magdalena, señor.

—Le acababa de decir el doctor Belzunce que espera quintillizos.

—¡Virgen de Atocha!

—Vamos, Manolo.

• • • •

En Oriza casi lleno. Me han reservado una mesa discreta, en el rincón de Antonio Burgos y Curro Romero. Ahí está Pío Halcón con su hija, que es una belleza. Se llama Pía, y a Mamá le habría encantado para mí. En otra las Melgarejo, que son simpatiquísimas. A María la tanteé para comprarle un campo que tienen por el Rocío, pero se me subió a las barbas. Como estoy bastante cargado, he pedido un whisky muy flojo, casi agua. Ahí llega Moby, más gordo y congestionado que nunca. Se hace unos trajes nada acordes con su volumen de ballenato. Está piripi, como de costumbre.

—Cristián, pareces una perdiz.

Se me había olvidado decir que tengo unos preciosos pantalones de pana rojos, que son la envidia de todo Sevilla.

—Y tú una foca, Moby. Al grano, primo hermano.

—Cuestiones de abogados aparte, y a la espera de que el dictamen sea positivo, he valorado la situación. Por mi parte no hay problemas en la cesión, pero sí en el precio.

—¿Te parecen pocos cien millones?

—Esas cifras ya no se usan, Cristián. Renuncio a los cien millones. Con un millón de euros voy que chuto.

—¡Eso es una barbaridad, Moby, eres un timador!

—O lo tomas, o lo dejas, Cristián.

La comida, a pesar de este atraco a mano armada, ha resultado estupenda. Lo paso divinamente con Moby. Al dejar de hablar del precio de sus títulos, ha dado por hecho que había aceptado sus exigencias. Pero no me conoce.

—Y respecto al millón de euros, Moby...

—Chócala, Cristián. Asunto cerrado.

Pues sí; me conoce bastante bien.

Hemos quedado en encomendarle el asunto a un buen abogado. En prueba de buena voluntad, además de invitarle a cenar, le he extendido un talón por una cantidad en concepto de adelanto. Cinco millones de pesetas. Moby, después de besarlo con una ternura difícil de superar, se lo ha guardado en la cartera.

—¿Están abiertos los bancos a las doce de la noche?

—No, Moby. Tienes que esperar a mañana.

—¿Me dejas cincuenta mil pesetas? No tengo cash.

Moby habla como si ya fuera rico. No ha tenido cash en su puñetera vida. Cinco azulones que han volado de mi cartera. Me figuro que piensa celebrarlo hasta el amanecer, para estar el primero en el banco cuando se abra.

El acuerdo, pues, se ha alcanzado. Por la cantidad de un millón de euros, Ricardo Hendings y Asturiz, cede a su primo hermano el marqués de Sotoancho, para él y sus descendientes, los títulos de conde de Valmedrano y marqués de Tubilla del Agua.

En principio, el gran problema de casa se ha resuelto. Los cinco niños tendrán sus títulos nobiliarios.

—Manolo, a casita, que estoy cansado.

—Una cabezada y en La Jaralera, señor.

Moby se ha ido de copas, para celebrarlo.

· · · ·

Al llegar a casa, feliz por mi brillante gestión, todas las luces encendidas. Sin duda alguna, se ha producido el óbito de mi madre. Me ha dejado Manolo en la recoleta, para entrar directamente por la puerta del jardín. Escena fuerte. Pepillo y Flora dándose un morreo descomunal. Me parece una falta de respeto que Flora, durante tantos años la doncella preferida de Mamá, elija su situación de cuerpo presente para compartir un filete con Pepillo. Diligente y eficaz este Pepillo, que ha puesto en orden de nuevo el macizo de begonias que le sirvió a Mamá para aterrizar del tejado.

—Buenas noches, señor marqués.

—Buenas, Pepillo. Hola, Flora. ¿Qué, de fiesta?

—No sabíamos que iba a entrar usted por aquí.

—Lo importante no es por dónde yo entre, sino lo que se hace mientras yo no entro.

—Nos acabamos de prometer, señor marqués.

—¿Lo sabe Tomás?

—Ha sido el primero en darnos la enhorabuena.

—Pues yo quiero ser el segundo. Enhorabuena. Podéis contar con lo que queráis. Flora, un beso.

—Gracias, señor marqués.

—Pepillo, un abrazo. Bien por lo de las begonias.

—Es mi deber, señor. Muchas gracias.

—¿Cuándo se ha producido el tránsito?

—¿Qué tránsito?

—El del mundo terrenal a la vida eterna de mi madre.

—No ha habido tránsito, señor marqués.

—¿Y por qué está todo encendido?

—Porque el doctor no se ha marchado todavía y están esperándole a usted.

—Entonces... ¿no ha doblado la servilleta?

—Nada, señor. Está planchadísima la servilleta.

Reconozco que me he llevado una pequeña decepción. No obstante, es tanta la alegría que siento por haber solucionado el grave problema de mis hijos, que he subido las escaleras de tres en tres, jocosamente, casi canturreando «Sevilla tiene un color especial».

Tomás, siempre en su sitio, esperándome en el rellano de la escalera para informarme.

—La señora marquesa viuda está descansando. No es necesario hospitalizarla. El doctor, don Ignacio y Elena están con ella.

En el cuarto de Mamá, frente a la colección de solideos, su cama. Acostada en ella entre mimos y cuadrantes de hilo, la accidentada. El doctor Bermejo, en voz muy queda, me adelanta el diagnóstico. «Golpe brutal contra el suelo con hematoma gordísimo en la región parietal derecha y milagrosa recuperación por parte de la paciente. No tiene nada. Algún rasguño, un golpe en la pierna izquierda y un par de heridas superficiales en el rostro que le han sido convenientemente tratadas.»

—¿No está ni en coma?

—Está sedada. Mañana se despertará con dolores pero en estallante estado de salud.

—No hay manera, doctor. Bueno, pues gracias. ¿Le debo?

—Ya le pasaré la factura al señor Perona. Don Ignacio se ha ofrecido a velar a la enferma durante toda la noche. Está muy triste.

—Gracias, doctor.

Junto a Mamá, que respira con cadencia de vals, muy acompasadamente, don Ignacio con sus rezos.

—Tranquilo, padre, que no ha pasado nada.

—Eso es lo malo, hijo.

Y trajinando gasas, esparadrapos, mercromina y demás utensilios de urgencias, Elena. Se ha puesto una bata blanca de enfermera, y parece una de las protagonistas de *Urgencias*, la serie de televisión esa que siempre están con un negro en la camilla. Bellísima Elena, dulce ave amenazada por un buitre.

En vista del panorama, algo desconsolador, he optado por descansar. Tomás me ha traído mi pastilla de Orfidal y a ciegas, sin hacer apenas ruido, me he introducido en mi cuarto para no despertar a Marisol. Cuando me disponía a cruzar el umbral del cuarto de baño, una mesa mal colocada, desplazada de su sitio habitual, ha presentado resistencia a mi ímpetu y he caído al suelo cuan largo soy.

—¿Te has caído, Cristián?

—Sí, mi amor. Pero estoy muy contento. Lo he arreglado todo.

—¿Qué has arreglado?

—Lo de los títulos de los niños. Le he comprado a Moby el adelanto de la cesión de los dos suyos, y nuestros quintillizos serán todos nobles.

—¿De verdad que has hecho esa tontería?

—No es tontería, mi amor. Es respeto a la Historia de España.

—Bueno, el dinero es tuyo..., ¿tu madre?

—Un desastre. Ha sobrevivido.

—No seas así, Cristián, que es tu madre.

—¡Bah! ¡Bah! Lo fundamental eres tú. ¿Estás bien?

—Estoy bien, pero siento que llevo en mis entrañas un Seiscientos.

—En dos o tres meses, cinco niños, mi amor. Como cinco soles.

—Ven pronto a la cama, que quiero abrazarme contigo.

—En dos minutos, si no me tropiezo otra vez, estoy a tu lado.

—¡Guapo!

—¡Amanecer de mi vida!

. . . .

Toda la noche abrazados. Se me han dormido los dos brazos simultáneamente. Cosquilleo desagradable y doloroso. De cuando en cuando, si nos fallaba el sueño, charlita.

—He sorprendido a Flora y a Pepillo dándose el lote.

—Parece que la cosa está bastante hecha. Se lo he contado a papá, que me ha llamado, y se ha puesto algo tristón.

—Hombre, Pepillo está más en su edad.

—En esta casa, y tú y yo somos el ejemplo, la edad no cuenta para nada. Y ahora, con tu tío y Elena...

—Eso es una burrada que no voy a tolerar.

—Ella está encantada con la burrada.

—Pero voy a quitarle la venda de los ojos.

—Deja estar, Cristián. Como dice Mingote, ese señor tan serio y divertido que dibuja en *ABC*, «En asuntos de braguetas nunca opines ni te metas».

—Es que Mingote no conoce a tío Juan José.

—Libertad, Cristián, libertad. Deja que las cosas se arreglen o rompan por sí solas.

—¿Me haces cosquillitas detrás de las orejas?

—Hoy no, mi amor, que estoy cansada.

—Buenas noches, Marisol.

—Buenas noches, Cristián.

—Un beso a los niños.

—De tu parte, mi vida.

Y por fin, la sombra tibia de la noche se apoderó de La Jaralera. Sólo una luz en la casa. La del cuarto de Mamá. Don Ignacio se ha tomado en serio su función, y por primera vez en cuarenta años, anda de sacrificios.

Victoria

Han pasado, lentamente, quince días bastante tontos. Mamá ha permanecido sedada, confortada por un don Ignacio que no se ha movido de su lado —este hombre, lo que son las cosas, va para santo—, y cuidada hasta la exageración por Virginia y Elena, que se han turnado. Cuando Elena se ocupa de la escuela, Virginia se presenta. Mi madre no lo merece, pero no creo que nadie haya agonizado tan monamente como ella. Está estacionada, y al doctor Bermejo le preocupa su estancamiento. Afortunadamente para Mamá, tiene un corazón a prueba de bomba, y el hígado, sorprendentemente, también. Cuando le he revelado al doctor el secreto de su alcoholismo oculto, se ha mesado los cabellos, lo que no deja de ser una metáfora absurda, una ilusión literaria, por cuanto el doctor Bermejo es calvo total. Pero en fin, ahí sigue.

Pepillo y Flora están más enamorados que nunca. Como en esta casa, desde que yo la gobierno, se ha implantado el sistema liberal, comparten habitación. Pepillo se ha instalado en la de Flora, y Ramona me ha hecho llegar una tenue protesta. No por el hecho en sí, que Ramona está de vuelta de todo, sino por los ruidos y gemidos. Dice Ramona que Flora es radiofónica, que retransmite sus polvetes, y que debería ser más silenciosa en los gozos y las fogarás. De Pepillo no tiene queja. Es semental mudo, y si por él fuera, podría dormir en la habitación contigua un grupo de niños. No se enterarían de nada.

Tomás, cada vez de mejor humor. Se ha librado del casorio, y ha comprendido que su vida no tiene otro sentido que el de servir a su señor con dedicación y esmero. Buena renta le saca a su sentido de la vida, y he decidido, cuando se produzca el nacimiento de los quintillizos, regalarle otro coche y nombrarle padrino de uno de los niños. Seguramente del más basto, porque entre cinco, alguno saldrá parecido a la familia de Lucas.

Elena sigue tonteando con tío Juan José. Ya es mayorcita para saber lo que hace. Mientras no falte a sus obligaciones, mi Estado liberal autoriza cualquier tipo de relación. Y Marisol parece que va a explotar. Ha engordado mucho, está a dieta, y no puede ni moverse. Pero la encuentro más animada. Fermina, la costurera, se ha encargado de preparar las cosas de los niños, que son muchas y todas multiplicadas por cinco.

Para colmo de bienes, Moby me ha anunciado que las posibilidades de cesión adelantada de sus títulos en mi beneficio —soy su pariente de mejor derecho— no van a presentar problemas de índole legal. Todo marcha sobre ruedas, exceptuando el óbito de Mamá, que no llega a tomárselo en serio. No sé si por parte de Mamá o del óbito.

Ayer mantuvimos una larga reunión en la consulta del doctor Belzunce, el ginecólogo. Grandioso vasco, directo y divertido. Sobre todo, un sabio y un manitas, que es lo fundamental. Me acompañaron en la reunión, inducida por mí, un notario de Sevilla y un genealogista de Madrid, asesor del ministerio de Justicia y de la Diputación de la Grandeza. No quiero que en el lío del parto, con cinco bebés llorando y haciéndose pis, se quiebren los derechos nobiliarios de mis esperados mocosos. El doctor y el genealogista estuvieron de acuerdo. En caso de parto múltiple en condiciones normales, el mayor es el último que nace y el menor el primero, manteniendo similar sistema en los otros tres. Dicen que el mayor es el último en nacer por haber sido el primero en ser concebido, lo cual no termino de entender.

De este lío mucha culpa tienen el mono aullador y la mirada de aquella impertinente tortuga caribeña. El notario ha aceptado el encargo de estar presente durante el parto. A cada niño le adaptará a su muñeca izquierda un lazo de seda de distinto color. El primero en nacer lo marcará de amarillo, y será en el futuro, como quinto hijo, el barón de la Dehesa. El segundo, con lazo verde, cuarto en el orden sucesorio, será el marqués de Tubilla del Agua. El tercero —con éste no hay duda—, distintivo azul y conde de Valmedrano. El cuarto, segundo en la sucesión y derechos, arandela morada y conde de Buganda de don Fadrique, y el último en sacar la cabeza del cuerpo de su madre, mi primogénito, será en el devenir el noveno marqués de Sotoancho. No obstante, el notario nos ha solicitado permiso para ir acompañado de un sobrino suyo, también notario en Sevilla, por si se desmaya durante el ejercicio de su función. Nos dice que es muy escrupuloso con la sangre y las miasmillas, y que pierde la serenidad con un simple arañazo.

Ahora vienen los nombres. De común acuerdo con Marisol, he decidido imponerles los siguientes nombres. Con cinco hijos, la polémica de Obdulio sí, Obdulio no, carece de sentido. Así que el futuro marqués de la Dehesa se llamará Francisco María Obdulio. El marqués de Tubilla

del Agua, Juan María Cristián. El conde de Valmedrano —en reconocimiento a Moby—, Ricardo María Ignacio. El conde de Buganda de don
Fadrique, Tomás María Felipe, y el primogénito,
Ildefonso María Ciriaco. No queda ranura para
la improvisación. Sus padrinos serán: de Francisco, mi prima Dolores Aznar y Carlos Domecq
Urquijo; de Juan, Pepe y Mercedes Casa-Valli-
nes, que vienen todos los años a pasar una temporadita a casa; de Ricardo, Moby y Flora; de Tomás, Tomás mi mayordomo y Marie Antoinette
de Bourgonville-Les Trois Eglíses et de Bourbon-
Savigny, que no es nada íntima de casa, pero sue-
na muy bien y le gusta más un bautizo que a Ro-
bespierre el cuello de su tocaya. Y de Ildefonso,
Lucas mi suegro y Mamá, siempre que la segunda no haya fallecido o siga tontita. Para sustituir
a Mamá había pensado en la Infanta Elena, y así
cerraríamos el contencioso que mi familia y la
Real mantienen desde hace generaciones. Oficiará
don Ignacio, que en La Jaralera es mucho más
que un obispo, y entre chapoteo y chapoteo de
agua bendita, cantará el coro «Sensación Musical»
de Almendralejo. La elección la ha llevado a cabo
Perona, el administrador, que me ha garantizado
una bellísima interpretación con un costo más que
asumible. Según he sabido, la hermana de Perona
es solista de «Sensación Musical».

El campo empieza a sofocarse. Ya han nacido las flores de los magnolios y los jacarandás estallan de azules y violetas. Primavera avanzada. Marisol parece un picador de Cagancho. Pero la doble ilusión vuela por las mentes de todos los que formamos la ciudadanía de este Reino o Estado que no se doblega a presiones ajenas.

Tomás, que me interrumpe.

—Señor marqués. Don Ignacio reclama su presencia en la habitación de la señora marquesa viuda agonizante.

• • • •

A todo correr, a lo más que me permiten mis maltrechos muslos —mis muslos jamás han sido gran cosa—, he alcanzado la puerta del cuarto de Mamá. Pensaba encontrármela con su carita de tonta, blanca como la cera, de ahí que mi expresión me haya traicionado con un escorzo facial de desagradable sorpresa. Apoyada en su cuadrante y con una bandeja a su lado con una botella de oporto y unos taquitos de jamón, me esperaba Mamá.

—Susú, me tienes que dar muchas explicaciones.

—¡Oh, Mamá! ¡Qué alegría el verte tan recuperada!

—Suprime el «¡Oh, Mamá!». En esta casa no se ha dicho nunca ni ¡Oh, Mamá!, ni ¡Oh, Papá!, ni ¡Oh, Hijo!

—La expresión me ha salido del alma.

—Pues cierra el alma, Susú, y nárrame, punto por punto, todo lo que me ha sucedido. No me acuerdo de casi nada.

Con paciencia infinita y un cariño que creía perdido, he estructurado la larga historia y me he lanzado en pos de ella. Algunos comentarios de mi madre, de lo más desagradables y ásperos.

—Se me había olvidado preguntar por tu mujer. ¿Cómo se llama?

—Marisol, Mamá.

—Ah, sí, ahora la recuerdo. Rubia, bastante indecente y bebedora de martinis.

—Rubia, decentísima y bebedora de «martinis» sólo una noche que estaba nerviosa porque tú no hacías nada para evitarlo.

Cuando llegamos al conflicto de la marquesa uno y la marquesa dos, empeorado por su actitud desafiante de negarse a ceder la cabecera de la mesa del comedor correspondiente a la provincia de Sevilla, el comentario de Mamá, ya en su segunda copita de oporto, ha sido prometedor a pesar de su inhóspito tono.

—Por mí, que se quede con la cabecera para toda su vida.

Primera victoria. Lo acepta mal, pero termina por comprender su nuevo status en la casa. El golpazo en la cabeza, punto final de su trayectoria descendente desde el tejado al suelo, ha debilitado mucho su intransigencia.

He seguido la narración con sus desavenencias con Flora.

—La recuerdo perfectamente. Fue mala conmigo. Estaba liada con un pinche de cocina que me secuestró hace tiempo. Pero algo hay en esa fresca que me calma. En sueños, entre nubes, creo haber jugado con ella y con mi primo Pototo al escondite.

Al oír Pototo, don Ignacio ha resignado su mirada.

De ahí, a la discusión por el nombre de nuestro hijo, cuando creíamos que sólo iba a ser uno. Lo de los quintillizos se lo reservo para el final. Puede ser la puntilla.

—Me alegro que haya cambiado de opinión. Lo de Obdulio no era presentable. Y menos lo de Vanessa. Por ahí, me considero satisfecha, Cristián.

Está más humana, menos inflexible. De ese punto, hemos pasado a su ingreso en el Convento de las Beatrices Calzadas, y a su adopción del nombre de Cristina de Calcuta.

—No recuerdo nada de nada. Bueno, sí... que una monja me gritó «¡Alto o disparo!».

Con tacto de pétalo de camelia la he puesto al corriente de su estancia en el convento. De su intento de robo de una caja del galletas, de su caída del taburete, de su pérdida total de la memoria, y de su posterior devolución a esta casa con la mentalidad de una niña tonta y caprichosa.

—Me llamabas de usted y no me reconocías como tu hijo que soy.

—Sería por alguna razón.

Se ha reído mucho cuando hemos llegado a su exigencia de que Gumer, el chófer de su padre, la llevara a Igueldo. Y a los juegos que ha obligado a compartir con ella a don Ignacio y Flora. Cuando se ha fijado en don Ignacio, al fin ha visto la luz.

—Efectivamente usted no es Pototo. Usted me recuerda a un capellán que comía mucho.

—Soy el mismo, Cristina. Don Ignacio...

Había que coger al toro por los cuernos. Cuando ha sabido que se subió al tejado por culpa de don Ignacio, que previamente le había soltado un soplamocos, Mamá ha agarrado su bastón, que apoya en su cama, y ha intentado abrirle la cabeza al capellán, que haciendo gala de unos reflejos de gacela entre leones, se ha librado de visitar el servicio de urgencias del hospital de puro milagro. Entonces, a prudente distancia, se ha remangado la sotana y le ha mostrado las ho-

rribles heridas de sus piernas y brazos, consecuencia todas ellas de los mordiscos y patadas de
Mamá.

—¿Y esto qué, Cristina?

—No recuerdo haberle mordido.

Mi madre tiene una memoria muy selectiva.
Se acerca el bombazo. No he podido retrasarlo
más. Me apetece ver cómo reacciona.

—Pero hay algo más que se ha producido durante tu ausencia mental, Mamá.

—Suéltalo ya, Susú.

—Que Marisol, tu nuera, la nueva marquesa
uno (ahí mamá no ha podido reprimir un gesto
de angustia), no está esperando un hijo. Está a
punto de caramelo, y va a tener quintillizos. Cinco nietos para ti, Mamá.

Silencio de saeta. Mirada de avutarda despistada. Un leve movimiento de cuello de cisne sorprendido.

Un minuto callada, y al fin, su comentario.

—Pues tienes que regalar a cuatro. Los Sotoancho siempre han tenido un solo hijo.

—Mamá, todo ha cambiado. Me parece maravilloso tener cinco hijos de golpe.

—Me niego en redondo. Hay cantidad de
matrimonios que desean adoptar niños. Es faci-
lísimo encajarlos. En esta casa sólo puede vivir
un hijo.

—Mamá, de aquí no se va nadie, y menos cuatro hijos míos, que son tus nietos.

—Pues cuando crezcan, pienso pegarles bofetadas injustas.

—Si yo lo consiento.

—¡Cinco nietos! ¡Qué asco de parto!

—Tú serás la madrina del mayor, que nacerá el último. Se llamará Ildefonso María, como Papá.

Esta revelación le ha gustado. No ha demostrado alegría alguna, pero conozco sus muecas.

—Y una última cosa, Mamá. El doctor Bermejo nos ha ordenado que permanezcas en cama hasta que él decida lo contrario. Te servirán Elena y Virginia, que además, saben de enfermería. Con tu permiso, me voy con mi mujer.

—Recuerdos de mi parte. ¿Me has dicho que se llamaba?...

—Marisol.

—Qué espanto.

—Descansa, Mamá. Don Ignacio, que no es Pototo, te acompañará en los rezos. Y ya lo sabes. Eres la marquesa viuda de Sotoancho. ¿Entendido?

—Sí, Susú. Dolorosamente entendido, pero entendido.

—Y nada de subirse al tejado.

—No comprendo cómo pude hacerlo.

—Y a los niños, cariño de abuela.

—Sólo al mayor. A los demás, bofetadas injustas.

—A la primera, te largo de casa.

—Estás a tiempo de regalar esas angulas. Porque van a parecer angulas cuando nazcan, si es que nacen vivos.

—Se encuentran perfectamente.

—Serán horrorosos. Tú eres de susto.

—Marisol es una belleza.

—Yo no era fea.

—Sí, Mamá, aunque me duela te lo digo. Eras fea. Tienes cara de pájaro. Tu amor escondido, Arturas Markulonis...

—¡¡No menciones ese nombre!!

—Es tu pasado.

—Quiero descansar. Dejadme sola.

Gesto imperativo y todos fuera. Me ha gustado sacarla de sus casillas. Ya estás en tu sitio, Mamá. He triunfado.

El semental vencido

El equilibrio de la felicidad es imposible. Más o menos lo tenía dominado cuando he recibido una de las peores noticias de mi vida. Tío Juan José ha muerto. Ha amanecido esta mañana sin vida. A sus 94 años de macho rompiente, su vida ha decidido rendirse. Me consuela pensar que su última jaca galopada, su ilusión más clara en sus días finales, haya sido Elena, nuestra enigmática Elena, que al conocer la noticia ha roto a llorar de tristeza cierta y ahogada.

Ni Marisol ni Mamá han acudido a la capilla ardiente, en el Acebuchal. Mi mujer ha entrado ya en los días de la confusión, de los dolores imaginados, y el doctor Belzunce es partidario de provocar el nacimiento. Según él, los niños ya son viables y aunque pueden pasar dos o tres meses en la incubadora, en cualquier momento toma la determinación de adelantar el suceso. Y Mamá ha aprovechado la disculpa de la orden del doctor Bermejo, y se ha quedado en casa. Nunca se llevó bien con tío Juan José, y la antipatía era mutua.

Roberto, el nuevo mayordomo del tío, me ha narrado sus últimos pasos por la vida. Ayer llamó a Elena para cenar con ella en el Acebuchal. A Dios gracias, Elena no pudo aceptar la invitación porque se lo impedían sus obligaciones con mi madre. Dice Roberto que tío Juan José se tomó dos copas mientras escribía. Que se pasó tres horas escribiendo. Que no cenó nada. Que le encontró abierta la melancolía en su mirada y que al despedirse de él para desearle un sueño feliz, tío Juan José le dio las gracias de forma efusiva. Y que esta mañana, a eso de las diez, cuando le llevaba la bandeja con el desayuno, estaba muerto, con la expresión tranquila, los ojos abiertos y junto a su mano izquierda, desmayada de sin vida, se hallaba una revista erótica abierta por su página 39 en la que aparecía Nicole Kidman desnuda con el siguiente titular: «Lo tiene colorado.»

Don Ignacio le ha administrado los últimos sacramentos y ha bendecido su cadáver de hombre fuerte y casi invencible. La casa se ha ido llenando de gente variopinta, y las lágrimas en sus ojos eran sinceras y hondas. Elena, sentada a su lado, en la cabecera de la cama, era la expresión más natural y sencilla de la pena.

Paquita *la Atunera*, su mujer en trance de dejar de serlo, ha dado el numerito. Cuando ha visto al tío de cuerpo presente, ha soltado un alarido que ha sonado a falso. Roberto, diligente, se la ha llevado al salón. Todas las putas del contorno han enviado una corona de flores con la siguiente inscripción: «Tus alondras no te olvidan.» Y siguiendo instrucciones dadas en vida por tío Juan José, el notario se ha presentado en la casa. Roberto le ha hecho entrega de los papeles que ayer escribiera en su última noche por si tuvieran que ver con sus últimas voluntades.

Lo enterraremos en el panteón de nuestra familia. El notario le ha comunicado a Paquita *la Atunera* el deseo de tío Juan José de que no presida su entierro. Según me ha dicho, hace una semana, se presentó en la notaría y le hizo saber que la presidencia de su exhumación nos correspondía a mí, como sobrino de más rango, y a Elena, la mujer que conoció con setenta años de retraso. No incluye a su hijo, o presunto hijo, que apenas cuenta con dos años de edad.

Asimismo, queda el Acebuchal cerrado a cal y canto, y sólo Roberto podrá permanecer en la casa mientras llega el momento de la lectura del testamento.

A mi lado, llora en silencio Juanita *la Huracana* junto a su hermana Salomé *la Chichas*. El silencio lo ha roto Grabié *el del saliná* que se ha puesto a cantar unos martinetes en honor del occiso. Al final, un «¡Óleeeee!» desgarrador ha asustado a los cimientos de la casa. Me han contado que Grabié el *del saliná*, es un flamenco de altura al que tío Juan José ha ayudado siempre. Además, es el padre de Encarna *la torneá*, que fue su novia hasta que conoció a Lolita *la penca*, que murió desnucada en un tablao sudado. Había bailado antes que ella Cañete *el de Arcos*, y no secaron el tablao. Lolita resbaló, cayó hacia atrás y se quedó pajarita en un segundo.

Después de la misa, todos hemos abandonado el Acebuchal. Me han permitido hacer un turno de vela esta noche. Manolo, mi chófer, se ha ocupado de la burocracia de la muerte y mañana a la una de la tarde lo enterraremos.

Tomás está afligido. Se llevaba de cine con el tío, y han compartido muchas veladas en La Ballena Cachonda, el «puticlú» del pueblo. Tío Juan José trataba a Tomás como a un amigo de verdad, y esos afectos se corresponden.

Ahí lo he dejado. Triste, muerto, ya no se sabe dónde, con las manos juntas y un crucifijo entre sus dedos. A mi lado, cuando salíamos de la casa, Elena, guapísima, dulce, joven y hundida, mirando al suelo, quizás arrepentida de no haber ofrecido a tío Juan José el último segundo de placer macho de su vida. Porque al tío le hubiese gustado acabar en pleno galope, relinchando fuego, montando a la mejor jaca de estos campos abiertos de su existencia. Una jaca que había encontrado en Elena, que le ofreció cariño y amor en los días finales de su vida.

Tomás y Elena cabizbajos, mirando sin mirar al suelo que los sostenía, y yo, camino de mi incomprensión, abrazado a los recuerdos de quien más tenía que haber aprendido y más rechacé por culpa de las malas influencias de mi madre.

Porque de existir una escuela de hombres, de machos broncos, de comanches de verdad, esa escuela era la de tío Juan José, hoy cuerpo muerto y callado sobre su cama inquieta y resistente.

• • • •

¡Qué bonito es un entierro,
con sus caballitos blancos,
con sus caballitos negros!

Precediéndome, el ataúd que custodia los restos mortales de Juan José de Henestrillas y Valeria del Guadalén, primo hermano de mi difunto padre, que Santa Gloria Haya. A mi lado, de luto en el alma, Elena, la bella Elena, que ni ella sabe por qué llora tanto ni qué árbol se le ha caído quebrado por el viento. Detrás de mí, mis primos Henestrillas, una pandilla de golfos inútiles que siempre tío Juan José mantuvo en su sitio y a distancia. Y Tomás, y Flora, Ramona, Pepillo, Manolo, Fermina, Virginia, Julio *el Rastrojero*, Lucas, Modesto, Perona... toda la Jaralera. Y el puterío, el chulerío y el flamenquerío. Y los palmeros y agradadores. Y los torerillos sin rumbo, y los maletillas cuarentones, y los estraperlistas, y los feriantes... Parece el entierro de Lola *la Piconera*, la heroína de tío José María Pemán en *Cuando las Cortes de Cádiz*, pero es el de tío Juan José, el hembrero, putero y jinete más alto de Andalucía la Baja. El más pecador del mundo. El que jamás tuvo propósito de enmienda. El que se trajinaba, con noventa años vencidos, a lo más puro y distante del mujeraje comarcal. El nueve veces perseguido por padres de hijas deshonradas con escopetas de cañones recortados, trabucos de arcón antiguo y navajas de noche brillante. El que en tres ocasiones, por razones de denuncias y demandas, se sentó en el banquillo de los acusados por corruptor de menores, hasta que un día, en plena vista, ante el juez, los abogados, el secretario del Juzgado, los demandantes y el público, gritó con voz de brandy ronco: «¡Señoría, que la menor le enseñe las tetas. A ver quién es la víctima!» Y Su señoría, que lo entendió todo, dio la razón al corruptor, pobre viejo ensimismado por la niña de 17 años que acababa de estrenar su piso en Sanlúcar, con vistas al Coto, porque al pobre viejo le salía cada pecho acariciado por cien metros cuadrados de urbanización nueva. El que jamás dejó a nadie en la cuneta, y a todas sus amantes las hizo mantenidas de por vida, y a los padres de sus mantenidas chulos de los coños de sus hijas, que mucha furia, mucho honor y mucha venganza, pero cuando veían el piso o el chalé o el terrenito de la niña, todo era «qué bueno es don Juan José» y «qué regalo nos ha caído del cielo», cuando el cielo era la entrepierna de las hijas, que ahí están todas, llorando al paso del féretro del corruptor.

Sonido estremecedor el de la tierra sobre la madera del ataúd. Tierra que cubre la muerte más humana y golfa del contorno. Ahí te quedas, pudriéndote de gusanos y buenos recuerdos, Juan José de Henestrillas, señorito de la mejor marca, maldito sátrapa, fornicador de nubes y de nieblas, profanador de altares, pagador de virgos y botellas, rompedor de normas hipócritas, defensor de su limitada verdad. Y otra palada de tierra, y más llantos; y la losa rectangular, y más lloros cuando la paleta y el cemento cierran las junturas que le aíslan definitivamente del aire respirado. Ahí te quedas para siempre, temido, herido, inapreciado y querido pariente. Elena te ha acompañado hasta el final. Tu último y verdadero triunfo.

Ya en casa, Marisol con los ojos húmedos.

—He rezado mucho por tío Juan José. Siempre fue adorable conmigo.

Y Mamá.

—No entiendo cómo han permitido enterrarlo en un lugar santo.

Son las distancias entre una y otra. Entre la naturalidad y la norma, la espontaneidad y la ficción, la dulzura y la intransigencia.

Y don Ignacio, cada día más humano y certero, que ha cortado por lo sano.

—Dios perdona antes a un golfo bueno que a una beata mala.

—Usted ha cambiado mucho, don Ignacio —le ha dicho Mamá.

—Quizá, demasiado tarde, Cristina.

Sin comer, antes de trabajar en esas cosas que siempre procura el campo, he bajado a la zona del servicio, para interesarme por Elena. Ahí está, apenada y sonriente, bellísima, abrazada por Tomás, que mucho me huelo está opositando a la sucesión en el corazón de Elena.

—¿Todo bien?

—Todo bien, señor marqués. Y muchas gracias por todo —me ha dicho Elena mientras se atrevía a darme un beso en la mejilla.

—Todo en su sitio y en su orden, señor.

Y Tomás, con la mirada que tanto conozco y domino, me ha pedido camino largo, o sea, que me aleje de ellos, que la primavera es ya casi verano y el campo necesita de amores nuevos.

Todo lo dejo en su lugar.

Puedo trabajar tranquilo.

Y hasta echarme una siestecita de pijama limpio.

Hectáreas, pañales, besos y fortunas

El viernes, a las diez de la mañana, ingresa Marisol en el hospital para ser inducida al parto múltiple. En casa, todo está preparado, y exceptuando a Mamá, los nervios a flor de piel. Mi madre, que ha sido autorizada a levantarse, apenas pasea por el corredor de las buganvillas, acompañada de Elena o de Virginia. Pero con anterioridad al «Día H», hemos sido convocados por el notario de tío Juan José para la lectura de su testamento. Según he podido averiguar, aquellas páginas que escribió en la antesala de la muerte, en plenitud de sus facultades mentales, pueden suponer un vuelco para los planes de algunos.

Curiosamente, los convocados de casa somos varios. Tomás, Elena, Flora, Ramona, Manolo, don Ignacio y yo. Poco más, y deja la casa vacía. Ya en la notaría nos hemos sumado al resto de las personas llamadas por el fedatario público. Paquita *la Atunera*, Fifa *la Chorva* —propietaria del «puticlú» La Ballena Cachonda, y mis tres contraprimos, los Henestrillas, Luis, Rafael y Eduardo. El notario nos ha adelantado que los anteriores testamentos de tío Juan José han quedado anulados, y que realizadas todas las pruebas pertinentes, se considera válido el ológrafo firmado por el testador en la víspera de su muerte. Caras largas en algunos.

La síntesis es la siguiente. Dice el texto: «Si mi última esposa, de la que me hallaba en proceso de separación, Francisca Zubimendi Carrasco, alias *la Atunera*, se aviene a demostrar científicamente que su hijo, por mí reconocido como tal y que lleva mis apellidos, Juan Cristián Ángel Bartolomé de Henestrillas, Zubimendi, Valeria del Guadalén y Carrasco, es verdaderamente hijo mío y, por ende, portador de mi sangre, y el hecho de mi paternidad se comprueba, todos mis bienes serán para mi hijo, excepto el tercio correspondiente a mi mujer y madre de mi heredero. No obstante, si mi mujer no está segura de las pruebas a realizar y se niega a que mi presunto hijo sea sometido al análisis de ADN se habrá de conformar con la cantidad de trescientos millones (300.000.000) de pesetas con la condición de su renuncia y la confirmación de que mi paternidad era más una estrategia que una realidad. De aceptar esta cantidad, se deduce que mi hijo es de otro, algo que me barruntaba desde que salió pelirrojo perdido, y por ello le conmino a restablecer la realidad en su documentación privándole del uso de mis apellidos. El señor notario, en este punto y momento de la lectura de mi testamento, propondrá la prueba a mi mujer. En el caso de que aceptara quedarán en suspenso mis disposiciones siguientes a expensas de los resultados. Si no acepta los análisis de comprobación, se entiende que queda satisfecha con los 300.000.000 de pesetas que tengo a bien testarla.»

—¿Acepta que se le practique la prueba a su hijo, doña Francisca?

—Bajo ningún concepto. El niño no es del finado. El niño es de mi novio de siempre, Jacinto *el Zanahorio*. Me quedo con los trescientos millones.

¡Joé con la Atunera! Se creía que se la iba a dar a tío Juan José. El notario la ha obligado a firmar un documento de aceptación y de compromiso de cambiar los apellidos de su hijo, mi ahijado, que manda narices. Cumplido el trámite, Paquita *la Atunera* ha abandonado el despacho, con cierto sonrojo y con 300.000.000 en su cuenta corriente. Los restantes hemos tomado asiento.

«Si Paquita ha abandonado la notaría y se procede a continuar la lectura de mi testamento, significa que mi hijo no era mi hijo, como sospechaba. Un hijo, pelirrojo, gritón y melindres del que estaba hasta los mismísimos huevos. Por ello paso a distribuir entre mis herederos los bienes que a continuación se detallan:

»A mi querido sobrino Cristián Ildefonso Laus Deo María de la Regla Ximénez de Andrada y Belvís de los Gazules, marqués de Sotoancho, le dejo y encomiendo mi finca del Acebuchal con la condición de que, salvadas las obras de arte y todo el contenido de la casa, que pasan a ser de su propiedad, el continente de la misma, es decir, la casa en sí, sea derruida. Cumplida esta obligación, pasan a adherirse a La Jaralera las 3.877 hectáreas del Acebuchal, exhortando a mi sobrino a mantener al personal de guardería y campo actualmente en servicio, y al que dispongo sea beneficiado con cinco millones (5.000.000) por cabeza de familia.

»A mis sobrinos Luis, Rafael y Eduardo de Henestrillas y López de Zaldívar, que son unos inútiles y unos gandules, y para que no se pasen la vida dando sablazos a diestro y siniestro, cien millones (100.000.000) de pesetas a cada uno.

»A mi querido amigo Tomás Miranda y Carretón, mayordomo de La Jaralera, ciento cincuenta millones (150.000.000) de pesetas. A mis queridos Flora Bermudo Gutiérrez, Ramona Bizcarrondo Iruretagoyena, Manuel Primales Martagón y don Ignacio Zarrías Martínez, setenta y cinco millones (75.000.000) de pesetas a cada uno, encomendando al último, don Ignacio Zarrías, la atención y constancia en sus oraciones para salvar mi alma y sacarla cuanto antes del Purgatorio.

»A mi prima política, Cristina Victoria Jimena Belvís de los Gazules Hendings, marquesa viuda de Sotoancho, que le den muy mucho por el culo.

»A cada una de las profesionales del amor, o sea, a las putitas de La Ballena Cachonda, que hayan prestado sus servicios en esa casa desde el 1 de enero de 1996, fecha de su inauguración, hasta el 31 de diciembre del año 2000, un millón (1.000.000) de pesetas a cada una.

»Y a mi queridísima Elena Garcilópez Carli, que me regaló en los últimos días de mi vida su amor, su entrega, su cariño, su mirada, su esperanza, su comprensión, su simpatía y su dulzura, le dejo quinientos millones (500.000.000) de pesetas y mi gratitud por haberla amado profundamente. Muero con ella en mi corazón y mi alma.

»Y a mis fieles y leales servidores Roberto Febrel Gutiérrez, Santos Hinojosa Pallín y Lorena Estrada de Felipe, doscientos millones (200.000.000) de pesetas a cada uno.

»Si aún quedara, que queda, dinero disponible, ordeno que sea utilizado para el pago de los derechos reales e impuestos correspondientes de cada una de las mandas establecidas. Y si aún quedara algo, que quedará, quiero que les sea entregado a las Beatrices Calzadas que han soportado al bicho de mi prima durante una temporadita y sin rechistar.»

Menos los Henestrillas, que confiaban en mejor limosna, nos hemos abrazado. Buena lotería. Me alegro por todos, que trataron a tío Juan José con sinceridad y cariño. La más triste, Elena, que no puede reaccionar.

—Señor, aunque no se lo crea, no me importan los quinientos millones. Yo quería de verdad al desastre de su tío. Y no me quiero mover de La Jaralera. Acépteme como una empleada rica.

El resto, lo mismo de lo mismo. Tomás me ha anunciado que va a invertir algo de lo suyo en un nuevo Mercedes cuando le devuelvan el carné de conducir.

Cuando ya en casa se lo he contado a Marisol, se ha sentido plenamente feliz. Sus amigos, de golpe, se han hecho ricos, y todos, sin excepción, van a seguir en nuestra casa como si nada hubiese pasado.

La única discrepante, Mamá.

—¿Y a mí ni me ha nombrado?

—Sí, Mamá, pero ni una peseta.

—No me hace falta el dinero de ese canalla.

—Cristina —ha terciado don Ignacio—; de canalla nada. Un santo. Un santo como la copa de un pino.

Y abrazado a Marisol hemos despedido el día en espera de nuestra inmediata maravilla.

• • • •

Llegó el «Día H». Los nervios me han jugado una mala pasada y he vivido la noche con un permanente ataque de colitis. Sé que no debe escribirse sobre estas porquerías, pero como memorialista debo dar fe también de mis miserias. A las 8 de la mañana, después de desayunar una tortilla de astringentes, Marisol y yo hemos partido hacia Sevilla.

Llevamos comitiva. En el Bentley, Manolo al volante, Marisol y yo. Detrás, Pepillo conduciendo con don Ignacio de paquete, y Flora y Tomás en el asiento de atrás. A veinte metros, cumpliendo estrictamente las normas de Tráfico, Elena, Virginia, Fermina y Ramona. Cuando hemos partido, mi madre, que estaba ya despierta, nos ha increpado.

—¿Y de mí, quién se ocupa?

Silencio absoluto. Pero La Jaralera se ha vaciado. Todos con Marisol, que va a protagonizar una hazaña que, por desgracia, ya han comentado en alguna publicación. «Una marquesa espera quintillizos.» Para evitar a la prensa, el doctor Belzunce ha decidido adelantar el acontecimiento.

—Entren por el garaje. Está todo dispuesto.

El trayecto, rápido y silencioso. Marisol y yo nos miramos y nos decimos todo, pero no articulamos palabra. Nos han advertido que quizá sea imprescindible practicarle la cesárea, pero no es seguro. En la clínica, esperándonos, el notario y su sobrino, un chico muy cortés y nervioso, dispuesto a sustituir a su tío cuando éste se desmaye y pierda el conocimiento. Ya están esterilizados y con las ropas del quirófano. Como el doctor Belzunce y todo su equipo.

—Marisol, tranquila, que esto pasa pronto.

El doctor, después de reconocerla, ha optado por la cesárea. Le ha administrado a mi niña unas gotitas de nada, y cuando Marisol ha sentido los primeros síntomas, se la han llevado al quirófano. Lágrimas contenidas y nervios infinitos. El notario y el sobrino parecen dos estudiantes de Medicina con todas las asignaturas suspendidas. He rechazado la invitación del doctor de asistir al alumbramiento múltiple. Son las 9 de la mañana y como un día es un día, me he consolado la inquietud con un ginebrazo. Tomás se ha unido a mi experiencia.

En la sala de espera no cabe un alma. Sólo falta que pase un venado y vuele un pato para que

215

nos sintamos en La Jaralera. Nadie habla. Una enfermera nos confirma que va a ser anestesiada por el sistema epidural. Que está tranquila. Me he sonado, por unos moquillos, y con las cosas de los nervios me he metido el pañuelo en la boca.

—Señor marqués, si se come el pañuelo no va a tener hambre después.

—Gracias, Tomás.

A los véinte minutos, unos camilleros han desalojado al notario, que se ha desmayado. Buena señal. Ya habrá nacido alguno de los niños. Más de una hora y nadie nos informa. Al fin, la enfermera que llega sonriente.

—¿Quién es el padre?

—Ese manojo de nervios con la nariz larga —ha dicho Tomás, señalándome.

—Enhorabuena, señor. Tiene usted cinco hijos maravillosos. Por su poco peso estarán un buen tiempo en la incubadora, pero todos son viables. Su mujer se encuentra estupendamente. No ha tenido dolor alguno y si me permite este comentario, le han sacado a los bebés como si fueran churros. El doctor vendrá cuando su esposa se encuentre totalmente reanimada. Enhorabuena de nuevo.

Besos, abrazos, gritos, alaridos, rebuznos, cacareos, saltos, aspavientos, lágrimas, llantos, palmetazos... Ambiente indescriptible. Cuando el

doctor se ha presentado, le emoción me ha jugado una mala pasada y le he plantado dos besos,
uno en cada carrillo.

—Oiga, oiga, que no soy maricón —me ha dicho sonriente.

—Gracias, doctor, gracias.

No me salía nada más. Detrás del médico, el
notario sobrino del ídem.

—Todos los niños tienen su señal. Y hemos seguido a rajatabla sus instrucciones. El acta la podrá
recoger en nuestra notaría a partir de mañana.

El doctor Belzunce nos ha ampliado la infor-
mación:

—Los cinco niños están bien. Su peso ha os-
cilado entre 730 y 810 gramos. Tendrán que pasar bastante tiempo en las incubadoras, pero de
momento, no existen más riesgos que los normales en casos como éste. Todos llevan su distintivo. Y doña Marisol se ha portado estupendamente.
Como prevención he querido que esta noche la
pase en la UCI. Mañana mismo volverá a planta.
Creo que usted —dirigiéndose a mí—, haría bien
en visitarla. Está deseando hablar con alguien de
su familia.

Me han vestido de médico. Marisol entre tu-
bos. Casi me mareo, como el notario. La he be-
sado con muchísimo cuidado.

—¿Están bien, Cristián?

—Están como futbolistas. ¿Los has visto?

—Todavía no.

—Hay cuatro claritos y uno que parece un bandolero, con patillas y todo. Me lo ha dicho una enfermera.

—Lo importante es que tú estés bien.

—Me duele todo, pero estoy en la gloria.

—Te quiero.

—Y yo más.

De ahí a la incubadora. En efecto, son pequeñísimos. Y cuatro muy claritos de piel y pelusa, y un quinto, moreno de verde luna. Precisamente el de la cinta blanca, el mayor, el futuro Sotoancho. Este hijo mío, cuando crezca, se va a parecer a Fernando Villalón. Vendré todos los días, para seguir gramo a gramo su milagro de crecimiento. Ahí están los cinco. Ildefonso, Tomás, Ricardo, Juan y Francisco. A mi lado, Lucas, alelado, llorando de alegría. Son sus nietos. La sangre de esos niños nos lleva al abrazo. El más grande y hondo. Un abrazo largo e intenso, con sus lágrimas en mi hombro y mi gratitud en el alma por haberme dado una hija como Marisol.

—¡Qué prodigio, señor marqués!

—Que soy tu yerno, Lucas.

—¡Qué prodigio, señor marqués yerno!

Nadie le sacaba de ahí.

••••

Han pasado dos meses. La Jaralera otoñea.
Mucho han cambiado las cosas. Hemos tenido que
hacer obra en el garaje, porque después de la he-
rencia de tío Juan José, aquí hay más coches buenos que en la puerta de Jockey. Tomás se ha comprado un Mercedes enorme, de gama altísima, y
como es un señor, de color azul oscuro. Elena, más
sofisticada, un Porsche. Un día se va a llevar por
delante la mitad del eucaliptal. Manolo un Citroën de lujo, y don Ignacio un todoterreno.

—¿Para qué quiere usted un todoterreno?

—Para molestar al prójimo.

—Muy cristiano, don Ignacio.

—Pero muy divertido, Cristián.

Obras en el garaje y sobre todo, en la casa. Marisol está plenamente recuperada. Ha vuelto a ser
la que era, y su belleza aumenta sin vocación de
detenerse. Desde que fue dada de alta, no hemos dejado de ir a Sevilla ni un solo día. Hoy lle-
gan los niños. Todo el ala norte de la casa se ha
convertido en hospital y guardería infantil. Flora y
Virginia estarán al frente de su organización. Mi
madre, que aún no conoce a sus nietos, vive su vida. Hemos contratado a una doncella nueva, Lau-
ra, para que se ocupe de ella, porque Elena, con
sobrados motivos, ha renunciado a su servicio.

219

—Señor marqués. ¿Si usted tuviera quinientos millones de pesetas, se ocuparía de un bicho como su madre?

—No, Elena.

—Pues coincidimos. Me ocuparé de la escuela y de sus hijos, y el tiempo que tenga libre, de mis cosas.

—Pero no te vayas. Ésta es tu casa.

—De aquí no me iré nunca.

—Y tutéame. Al fin y al cabo, desde que has heredado, nuestras diferencias sociales han desaparecido.

No dispararán los guardas de la entrada el trabucazo de honor por no asustar a los niños. Pero harán sonar un timbre. Ya están aquí. Vienen con dos enfermeras y Marisol, que ha ido a Sevilla a organizar el traslado. Todo el servicio aplaudiendo. Monísimos los cinco. Cinco cunas, cinco coches, cinco todo.

Ildefonso, moreno y fuerte. Los otros cuatro, más rubiacos. Mamá, quizá por curiosidad, se ha acercado a verlos. Su primer contacto con sus nietos no ha sido espectacular en el cariño.

—Ahí tienes a tus cinco nietos, Mamá.

—Yo sólo tengo uno. ¿Cuál es el mayor?

—El moreno.

—Pues parece bastante ordinario.

—Ha salido a ti, Mamá.

Estoy harto. Golpe bajo. Marisol se ha limitado a perdonarla con una sonrisa.

—Muy pronto los querrá, Cristina.

Y Mamá, por primera vez, ha correspondido al buen tacto.

—Eso espero, hija.

Todo nuevo en La Jaralera. Siempre una nube que oscurece la armonía. Ayer, Modesto sintió un golpe fuerte de viento podrido. Siguió el rastro, que le llevó hasta la orilla del lago. El aire denso, de muerte abandonada. En un recodo de la orilla, entre juncos y hierbajos, el cadáver de un cisne negro. Nos lo ha matado un furtivo, un canalla. Tenía un disparo en el ala y otro en el pecho. Hasta los buitres quisieron respetarlo.

Por lo demás, todo en orden. Felicidad completa. Los niños en su casa y su campo, que un día se repartirán. Marisol de luna llena, resplandeciente. Tomás, Flora, Elena, Manolo y don Ignacio, de millonarios. Los demás, a lo suyo. Pepillo y Flora cimentando su futuro, y Mamá... bueno, algo mejor, nada del otro mundo, pero de cuando en cuando, si nadie la observa, se llega hasta el cuarto de los niños y sonríe.

Mañana será otro día.

Y siempre tendrá sentido.

Índice

Resumen de lo acontecido
y presentación de los personajes 9

Tiburones 19

Obdulio y Vanessa 35

El Mercedes 66

La santa novicia 100

La marquesa tontita 129

Cinco días y una muerte casi 149

La negociación 175

Victoria 187

El semental vencido 199

Hectáreas, pañales, besos y fortunas.. 208